D0310236

HOEVE SOFIE

Gerda van Wageningen

Hoeve Sofie

Uitgeverij Zomer & Keuning

ISBN 978 94 0190 366 0
ISBN e-book 978 94 0190 367 7
ISBN Grote Letter 978 94 0190 368 4
NUR 344

Omslagontwerp t4Design, Liesbeth Thomas

www.romanserie.nl
www.gerdavanwageningen.nl

1

Geen tranen.

Verwoed beet Nele op haar lip. Dat deed pijn, maar nee, ze wilde koste wat het kost voorkomen dat ze nu begon te huilen. Verdrietig was ze immers niet? Nu ja, een beetje misschien. Zo'n jong leven, zo totaal onverwacht voorbij, maar verder...

Nele Los wist dat iedereen op dit moment naar haar keek. Ze voelde de hand van haar dochtertje Sofie die van haar zoeken. Even wierp ze een blik opzij en ze knikte het tienjarige meisje toe. Daarna boog ze haar hoofd weer, en luisterde ze met nog net niet helemaal gesloten ogen naar het gebed van de dominee, het Onze Vader, uitgesproken nu ze allemaal aan de rand van het graf van haar man Ger stonden.

Het leek wel een eeuwigheid te duren eer het 'Amen' klonk. Maar daarna rechtte ze haar rug. Fier en ogenschijnlijk aangeslagen keek ze toe hoe de kist met daarin het lichaam van haar overleden man in het graf zakte.

Het was druk op het kerkhof, maar het was dan ook een vreselijk en tragisch ongeluk geweest, waarbij Ger Los vijf dagen geleden volkomen onverwacht uit het leven was weggerukt. Gelukkig was Nele er zelf niet bij geweest, anders had haar schoonmoeder ongetwijfeld durven beweren dat ze er nog de hand in gehad zou hebben ook! Haar schoonmoeder was bepaald niet blij geweest toen Ger destijds te kennen had gegeven, ondanks zijn moeders tegenstand, toch met Nele te willen trouwen. En zijzelf? Ach, als ze het over kon doen, zou ze er nooit in toegestemd hebben. Maar een mens kon niets overdoen in het leven. Nooit.

Op de een of andere manier was het haar gelukt om met rechte rug en opgeheven hoofd terug te lopen naar de grote boerderij, waarop ze nu als weduwe was achtergebleven met haar tienjarige dochter Sofie en haar pas achtjarige zoon Bart. Eenmaal binnen ging ze zitten in de mooie kamer waar ze alleen op hoogtijdagen zaten of, zoals nu, als er groot verdriet was. Haar schoonmoeder zag heel erg bleek en haar mond was niet meer dan een strakke streep. Even voelde Nele, ondanks alles, toch medelijden met haar. Het was natuurlijk verschrikkelijk om je enige kind te verliezen, en dan nog wel totaal onverwacht en op zo'n afschuwelijke manier. Haar schoonvader mompelde wat onverstaanbaars voor zich heen, zoals hij de laatste drie jaar nog maar zelden iets zinnigs wist uit te brengen. Hij was kinds geworden, zoals dat werd genoemd.

Sinds hun zoon met Nele was getrouwd, woonden haar schoonouders aan de rand van het dorp 's-Gravendeel, een kleine kilometer bij hoeve Sofie vandaan. Die boerderij had ooit de naam van de grootmoeder van vader Los gekregen, de vrouw naar wie Neles dochtertje Sofie was vernoemd. Nele had beslist niet gewild dat haar dochter Alie zou heten, naar haar schoonmoeder met wie ze vanaf dag één altijd een uiterst moeilijke verstandhouding had gehad.

Nele had al meteen na de bruiloft vast moeten stellen dat het feit dat er nu een nieuwe boerin was gekomen op hoeve Sofie, voor haar schoonmoeder blijkbaar niet betekende dat ze zich, zoals gebruikelijk was, terug zou trekken, zelfs niet al woonde ze nu niet langer op de boerderij. Ze kwam vanaf de eerste dag alle dagen bij haar zoon en schoondochter over de vloer. In het begin zogenaamd om haar schoondochter wegwijs te maken, maar het was erop neergekomen dat ze niet anders deed dan commentaar leveren op de jonge vrouw. Nele kon in haar ogen niets goeds doen en ze vond haar verre van goed genoeg voor haar enige zoon en oogappel. De afstand was niet ver genoeg geweest om te verhinderen dat ze zich met alle details van het doen en laten van Nele wilde bemoeien.

Ger had de mening van zijn moeder altijd hoog aangeslagen, en dat er nooit meer kinderen gekomen waren dan Sofie en Bart was haar een doorn in het oog geweest. Nele had er best begrip voor dat zijn ouders daar groot verdriet om hadden gehad. Maar ze hadden er uiteindelijk wel in berust, want volgens moeder Los was het blijkbaar Gods wil geweest en daar had een mens in haar ogen niets tegen in te brengen. Maar haar houding naar Nele toe had er zeker toe bijgedragen dat Ger zijn jonge vrouw al kort na het huwelijk nogal neerbuigend was gaan behandelen, in navolging van zijn moeder die in zijn ogen nu eenmaal nooit iets verkeerds had kunnen doen. In de eerste plaats werd ze niet snel genoeg zwanger, werd Nele verweten. Toen was de eerstgeborene niet eens de felbegeerde stamhouder en de opvolger voor de grote vlasboerderij onder de rook van 's-Gravendeel. Daarna vond zijn moeder dat ze Nele maar beter kon helpen met het huishouden, omdat deze zo vaak moe was geweest in die tijd en in haar ogen toch altijd tekortschoot. Sofie was in haar eerste jaar een huilbaby geweest, mede omdat Nele niet al te veel borstvoeding bleek te hebben, en ook dat werd haar als een grote tekortkoming aangerekend.

Ze schrok op uit haar gepeins. Met een dankbare knik nam ze een kop dampende koffie aan van tante Lijsbeth, de veel lievere en jongere zus van haar schoonmoeder. Wat had ze vaak gedacht dat het heerlijk moest zijn om tante Lijsbeth als schoonmoeder te hebben in plaats van haar zuster Alie.

'Dank u,' mompelde ze en tante Lijsbeth knikte vriendelijk naar haar. Haar ogen stonden medelijdend.

'Je bent dapper, Nele, daar kunnen we allemaal bewondering voor hebben.'

Nele bloosde een beetje. Tante moest eens weten, dacht ze onzeker, dat ze eerder opgelucht dan verdrietig was en dat ze zich niet kon voorstellen dat ze haar man zou gaan missen. Nee, dat verborg ze zorgvuldig! Daar schaamde ze zich voor. Ze was geschokt door wat er zo plotseling was gebeurd, dat wel. Ze was onzeker over haar toekomst, want Bart was nog erg jong. Haar schoonvader was niet meer tot iets in staat en hoeve Sofie was een middelgrote boerderij. Ze waren er allemaal van afhankelijk. Ze was bang dat haar schoonmoeder nu alle touwtjes in handen zou gaan nemen, zodat zijzelf in feite niets meer dan een soort veredelde meid zou worden. Dat wilde ze niet laten gebeuren, maar hoe kon ze dat voorkomen?

Nele keek om zich heen. Haar schoonmoeder staarde zwijgend naar haar handen, waarin de Bijbel rustte. Zou ze er troost uit kunnen putten, vroeg Nele zich af. Op dat moment voelde ze toch een zeker medelijden met de oudere vrouw, die net de enige persoon had moeten begraven van wie ze werkelijk leek te houden.

De andere mensen in de mooie kamer van hoeve Sofie babbelden bijna genoeglijk met elkaar, zoals dat zo vaak gebeurde na een begrafenis. Nele zuchtte diep. Ze moesten eens weten, dacht ze toen, dat Ger en zij nog geen uur voor dat afschuwelijke ongeval een verschrikkelijke ruzie hadden gehad, waarin hij zo erg op haar had gescholden dat ze bijna huilend was weggerend. Weg van hem, weg van de boerderij waar ze zo ongelukkig was geworden. Weg van zijn moeder ook, die nooit een kwaad woord over haar zoon had willen horen, zelfs niet als het voor iedereen duidelijk was dat hij Nele weer eens had geslagen. Ze had haar verdriet op dergelijke momenten bijna niet meer kunnen verdragen. Geslagen had hij haar ook bij die laatste ruzie. Dat gebeurde natuurlijk wel vaker, maar Ger was slim genoeg geweest om dat altijd te doen op een moment dat hij dacht dat niemand het zag. Hij beweerde dan later dat Nele van de trap was gevallen of weer eens tegen een deur was gelopen, en hij beweerde dan ook graag dat hij nooit had moeten trouwen met een vrouw die zo onhandig was en die zo weinig kon. Dan schudde zijn moeder maar weer eens ontevreden haar hoofd over haar onhandige en in haar ogen altijd tekortschietende schoondochter Nele. Ze had haar zoon herhaaldelijk gewaarschuwd voor hij met Nele trouwde, liet ze graag weten. En zie, had ze gelijk gekregen of niet?

Nele staarde naar de gevouwen handen in haar eigen schoot. Hoe vaak had ze niet gebeden of God haar wilde verlossen van het leven hier op de boerderij van de familie Los? Had Hij nu haar gebed verhoord? Moest ze dat denken? Ze voelde zich schuldig, onzeker, bang, maar ze was te trots om daar ook maar iets van te laten merken, en zeker niet aan de vrouw die Ger altijd tegen haar had opgestookt. Anders kon ze het niet zien. Haar schoonmoeder was een kwelgeest gebleken en Ger had alles wat zijn moeder zei, zonder meer geloofd.

Ze zuchtte nog maar eens. De tranen prikten opnieuw in haar ogen, niet omdat ze verdriet had om Ger, maar meer omdat ze zo bang en onzeker was over wat er nu zou moeten gebeuren.

Tante Lijsbeth, zo heel anders dan haar zuster, knikte haar bemoedigend toe.

'Wat ben je dapper, Nele,' glimlachte de vrouw liefdevol naar haar. 'Het moet vreselijk zijn om op deze manier je man te verliezen.'

Tante Lijsbeth was, voor zover Nele wist, gelukkig getrouwd met oom Schilleman Reedijk. Ach, wat tante Lijsbeth zei, was maar al te waar. Maar het was voor Nele vreselijk op een heel andere manier dan deze lieve vrouw dacht, meende Nele aangeslagen. Ze slikte en de brok in haar keel leek iets minder te worden. Ze moest sterk zijn, ze moest haar schoonmoeder geen kans geven om vanaf nu haar leven helemaal te gaan beheersen!

Ineens voelde de jonge weduwe een nieuwe kracht door zich heen stromen. Ze moest niet langer aangeslagen zijn! Ze moest hiertegen vechten! Ze moest haar angst voor wat de toekomst nu zou mogen brengen, overwinnen!

'Nu,' snibde moeder Los bijna direct tegen haar zuster, 'voor mij is het anders veel erger dan voor haar. Wie moet nu de boerderij gaan besturen? Zo'n dom wicht als zij is, kan natuurlijk niets. Ze zal er wel een puinhoop van maken, maar dat laat ik niet gebeuren! Daar kunnen jullie allemaal zeker van zijn! Onze mooie boerderij, al generaties lang in het bezit van onze familie, verdient het om goed bestuurd te worden tot jonge Bart oud genoeg is om zijn vader op te kunnen volgen. Dat zal toch al snel een jaartje of tien gaan duren, dat weten we allemaal. Het zal daarom nog het beste zijn als vader en ik zo snel mogelijk hier komen wonen, zodat ik net als vroeger de touwtjes weer in handen kan nemen!'

Hier schrok Nele erg van, want haar schoonmoeder zou ertoe in staat zijn om haar zonder meer aan de kant te schuiven en haar kleinzoon Bart tegen Nele op te zetten, zoals ze dat met haar eigen zoon ook had gedaan. Ze zou, zodra ze daar de kans toe kreeg, Nele op een zijspoor zetten, of haar leven nog erger tot een hel maken dan tot nog toe het geval was geweest.

'Jij bent ook maar aangetrouwd, Alie,' glimlachte tante Lijsbeth echter mild. 'Net als Nele. En wat jij ook zegt, ik vind Nele een flinke vrouw, en ze is bovendien de moeder van Bart. Inderdaad, de jongen is de nieuwe boer van hoeve Sofie, al is het arme schaap pas acht jaar oud en duurt het inderdaad nog een jaartje of tien eer hij daadwerkelijk de boer zal zijn. Het is vreselijk dat Ger die lelijke val heeft gemaakt en dat de dokter niets meer voor hem kon doen, maar geloof me, niemand kan hierover ook maar iets worden verweten! Er zijn genoeg mensen die beweren dat Ger altijd snel overmoedig was, en helemaal ongelijk hebben ze niet gehad als ze dat zeiden.'

'Wil je soms beweren dat het ongeluk enkel en alleen zijn eigen schuld was?' stoof haar zuster onmiddellijk op.

'Toe! We weten allemaal dat je er ontzettend veel verdriet van hebt, dat de schok van het ongeval nog niet helemaal tot je is doorgedrongen, maar inderdaad, er was niemand in de buurt, alleen Bart heeft het vanuit de verte zien gebeuren.'

De jongen knikte bang. 'Vader wilde van de ladder op het dak stappen, maar hij gleed uit en de ladder schoot ook nog eens onder hem weg. Hij viel naar beneden en zijn hoofd raakte de rand van de waterput. Het bloed spoot alle kanten op. Gelukkig kwam oom Schilleman net langs om zijn nieuwe fiets te laten zien.'

Zo was het gebeurd, had Nele begrepen. Ze sloeg troostend haar arm om de jongen heen. 'Niemand kon er iets aan doen. Toe, neem een krentenbol. Die vind je immers altijd lekker?'

Haar ogen vingen onverwacht die van haar schoonmoeder en

wat ze daarin las, bracht opnieuw de angst in haar omhoog. Wat zou de toekomst moeten brengen?

Nele staarde omhoog toen ze die avond uitgeput in de donkere bedstee lag. Ook al was ze verschrikkelijk moe geworden van deze zware dag, nu ze eindelijk in bed lag, kon ze eenvoudigweg niet meer slapen. Ze probeerde troost te putten uit de bemoedigende woorden van oom Schilleman bij het afscheid, toen hij en tante Lijsbeth als laatsten wilden vertrekken. Vader en moeder Los waren al eerder door paardenknecht Adrie met de sjees teruggebracht naar het dorp.

'Ik help je wel, Nele, in de komende jaren,' had oom Schilleman gezegd. 'Je kunt altijd om raad en advies bij mij terecht. Maar luister, ik ken iemand die je voor een paar jaar zou kunnen inhuren als bedrijfsleider. En ik beloof je dit: ik zal er persoonlijk op toezien dat Bart in de komende jaren alles leert wat hij als boer moet weten en wat hij anders van zijn vader zou hebben geleerd. Vlas is vanzelfsprekend het belangrijkste gewas voor ons dorp. Veel mensen leven ervan. En hoeve Sofie is een flinke vlasboerderij. Wees maar niet bang, met de juiste hulp komt alles goed terecht. Vertrouw maar op God, en ook een beetje op mij.' Hij had er bemoedigend bij geknikt. Oom was een vroom man, maar niet van het soort dat alles beter dacht te weten dan iemand anders, en hij las ook niet graag anderen de les als het ging om God en gebod.

Op God vertrouwen en een beetje op oom en haar broers, dat moest ze dan maar proberen, maalde het door haar hoofd, net als de woorden van een mooi lied dat ze vaak had horen zingen: 'Wie maar de goede God laat zorgen en op Hem hoopt in 't bangst gevaar, is bij Hem veilig en geborgen.' Ja, gezongen kwamen die woorden gemakkelijk, maar er daadwerkelijk naar leven? Dat zou beslist heel wat moeilijker zijn.

Met een zucht stond ze op om in de keuken op een petroleumstel wat melk op te warmen. Warme melk met honing, dat hielp meestal wel als ze niet kon slapen, dat had ze vroeger al van haar moeder geleerd.

Ze zuchtte nog maar eens. Haar beide ouders leefden niet meer. Haar vader was toen hij tweeënzestig jaar was overleden aan de beruchte stoflongen, waar zo veel vlassers door werden geplaagd. Een jaar later had haar moeder tuberculose gekregen. Ondanks het vaak buiten liggen in de zomer, in het zonlicht en uit de wind, was ze niet beter geworden. Ze had nog meegemaakt dat Sofie geboren werd, op 7 januari 1900, in de net nieuw begonnen eeuw. Maar de daaropvolgende winter had ze de ongelijke strijd op moeten geven.

Nele had twee broers. Ben, de oudste, was haar vader opgevolgd op de boerderij in Maasdam waar ze was geboren en opgegroeid. Corné, de jongste, die acht jaar ouder was dan Nele, werkte bij zijn broer als paardenknecht, maar er waren soms spanningen tussen die twee. Ook zij waren vlasboeren.

In dit deel van het land was vlas een product dat enorm belangrijk was. Zo dicht bij de kust was het klimaat er uitstekend voor geschikt. Er waren vlasboeren die het gewas zelf op een deel van hun grond verbouwden en verwerkten, zoals ook op hoeve Sofie gebeurde. Maar er waren ook vlassers die grond pachtten van boeren, niet alleen hier in de buurt maar zelfs tot in Groningen en Friesland toe, en dat lieten inzaaien. Ze zorgden daarna zelf voor het gewas, de oogst en de verwerking ervan, en hadden daarvoor personeel in dienst dat rondtrok langs de boerderijen waar grond was gepacht.

Corné was getrouwd met de dochter van een keuterboer, en misschien een te graag geziene gast in de plaatselijke cafés. Corné was stug en gesloten en vond dat zijn zus het aan zichzelf te danken had dat ze ongelukkig was geworden in haar huwelijk. Ze was er toch zelf mee akkoord gegaan? Misschien was ze wel geïmponeerd door de enige zoon en erfgenaam van de mooie hoeve Sofie, terwijl hun eigen boerderij veel kleiner was dan die van Ger Los. Haar vader was er zelfs mee verguld geweest toen Ger te kennen had gegeven met zijn jongste kind en dochter te willen trouwen. Alleen had hij wat bezorgd gekeken toen de bezittingen met elkaar vergeleken moesten worden, zoals nu eenmaal gebruikelijk was. Lag daar misschien de basis voor het ongenoegen van moeder Los, die er terecht van overtuigd was geweest dat haar oogappel een veel betere partij had kunnen doen?

Maar dat was het verleden. De bruiloft van Ger en Nele was destijds groots gevierd, dat wel. Er moest, had ze pas later begrepen, indruk gemaakt worden op de dorpelingen. Die dag was ze ondanks alles toch wel gelukkig geweest, bedacht ze plotseling met verbazing, terwijl ze honing door de inmiddels warm geworden melk roerde. Toen ging ze er immers van uit dat haar een mooie toekomst wachtte aan de zijde van haar man, op wie ze meende zelfs een beetje verliefd te zijn geworden. Maar ach, liefde moest wel een soort prettige verblindheid zijn, een soort roes, waarin alleen het goede in de ander werd gezien, tot de harde waarheid de roes weer verjoeg en de nuchtere werkelijkheid maar al te duidelijk werd en er niets meer aan het feit te veranderen viel.

Bij haar was dat al snel gebeurd. Eigenlijk al meteen door de ruwe gebeurtenis in haar huwelijksnacht, haar geschoktheid over de pijn en de ruwe benadering van haar man, en als gevolg daar weer van zijn boosheid om haar tranen toen hij haar pijn had gedaan.

De melk was lekker. Ze nipte eraan en ging naast het nog zwak nagloeiende fornuis zitten. Het was nu begin maart. Binnenkort moest het land worden geëgd, vlas worden gezaaid, aardappelen worden gepoot, en het graan moest worden gezaaid. Enkele van hun koeien moesten kalven. En Ger was er niet meer. Haar schoonmoeder zou ongetwijfeld haar uiterste best doen Nele terzijde te schuiven en haar wil aan iedereen op te leggen, en haar leven zou ondraaglijk worden als dat gebeurde, vreesde Nele bedrukt.

Maar toen dacht ze ineens weer aan de bemoedigende woorden van oom Schilleman. Zij was de moeder van Bart! En haar zoon was de erfgenaam en opvolger, de volgende boer van hoeve Sofie.

Als ze sterk was, hóéfde ze zich immers niet opzij te laten schuiven door een andere vrouw, hoe overheersend die ook was! Ze kon inderdaad het best, zoals de oom van Ger had voorgesteld, kijken of de man die hij op het oog had een geschikte bedrijfsleider zou zijn, van wie de mannen die het land bewerkten orders zouden aannemen. Een man die gezag over hen had, maar die toch uitvoerde wat zijn werkgeefster wilde dat er zou gebeuren. En die werkgeefster, dat was zij! Zij was immers niet alleen de vrouw geweest van Ger, maar ook de moeder van de jonge Bart! Als ze er de kracht voor kon vinden, zou ze zich niet door moeder Los opzij hoeven laten drukken. Dat kon!

Nele rechtte haar rug en voor het eerst in die ontzettend lang durende en afschuwelijke dag, voelde ze zich weer een beetje ontspannen. Het zou allemaal niet zonder slag of stoot gaan, dat besefte ze heel goed. Maar als ze sterk bleef, dan kon het zeker. Niet klagen, maar dragen, en bidden om kracht, dat was het levensmotto van haar moeder geweest. Dat zou ook haar motto moeten worden. Vanaf vandaag!

Ze moest sterk zijn. Ze moest niet eens zozeer voor zichzelf opkomen, maar meer nog voor de belangen van haar beide kinderen. Bart moest in de toekomst een goede boer worden, niet zo'n harde als Ger was geweest, die weinig gevoel had voor het leven van zijn hardwerkende en meestal slecht betaalde personeel. En Sofie moest later een voorbeeld aan haar, Nele, kunnen nemen en leren dat vrouwen zich niet door hun mannen hoefden te laten vernederen met woorden, zich niet hoefden te laten slaan. En zich ook niet hoefden te laten koeioneren door schoonmoeders! Zo! Daar ging ze voor vechten, te beginnen vanaf morgen. Nee, te beginnen vanaf nu! Zelfs al zou ze vannacht geen oog meer dichtdoen! Sterk zou ze zijn. Ze zou niet langer worden geslagen als ze iets deed wat in de ogen van haar ontevreden man niet goed genoeg was. Ze hoefde zich niet langer te laten bevelen door een strenge schoonmoeder, bang als ze was om er de klappen van op te moeten vangen, soms letterlijk, als ze ertegen in verzet kwam.

Zij was immers de boerin van hoeve Sofie! Niet haar schoonmoeder, en zelfs niet tante Lijsbeth. Morgen zou ze ferm het personeel toespreken en daarna de paardenknecht om oom Schilleman sturen. En ze zou moeder Los zonder omhaal duidelijk maken dat ze vanzelfsprekend welkom bleef op de boerderij waar ze zelf jarenlang de scepter had gezwaaid, maar dat ze daar niet langer de dienst uit zou maken!

Ze trilde, de volgende morgen in de grote woonkeuken tijdens de eerste schaft. Adrie, de paardenknecht, had ze juist opdracht gegeven meteen na de schaft bij oom Schilleman langs te gaan.

'Binnenkort komt er een bedrijfsleider,' vertelde Nele de meiden en knechten die bijna eerbiedig naar haar luisterden. 'Ik heb niet de illusie zelf over voldoende kennis te beschikken om precies te weten wat er moet gebeuren op het land van de boerderij, maar met behulp van Schilleman Reedijk en een goede bedrijfsleider voor de komende jaren zal het zeer zeker lukken om de boerderij over te dragen aan mijn zoon Bart als hij daar oud genoeg voor is geworden. Hij is immers de wettige opvolger van mijn overleden man.'

Midden in die zin was de deur opengegaan en stapte moeder Los binnen, met de bekende dunne streep die haar mond was en haar bruine ogen, precies die van Ger, die afkeurend en neerbuigend keken.

'Niets ervan,' klonk het op scherpe toon. 'Dat zal niet gebeuren! Ik ben voortaan net als vroeger de boerin. Ik ga jullie zeggen wat er voortaan moet gebeuren. En ik trek zo snel mogelijk met mijn man in het zomerhuis, om toezicht te komen houden op de boerderij. Want heus, Nele, jij bent nu eenmaal tot niets in staat en je bent voortaan voor niemand van enig nut.'

2

Even was Nele totaal overdonderd, maar toch, had ze iets anders kunnen verwachten?

Dan dacht ze in een flits aan het vreselijke leven dat ze zou krijgen als dit inderdaad ging gebeuren, en meteen rechtte ze haar rug en vond ze ergens, waar dan ook, de moed om haar schoonmoeder recht in de ogen te kijken.

Ze haalde diep adem, voor ze waardig zei: 'De schaft is zo ongeveer voorbij. Adrie, wil je doen wat ik je net gevraagd heb? Moeder, dit gesprek kunnen we maar beter in de mooie kamer voeren. Dan kunnen Mina en Keetje gewoon hun werk doen. Gaan jullie maar weer aan de slag.'

Het personeel stond op en verliet zwijgend de keuken, al zeiden hun blikken meer dan voldoende, besefte Nele. Ze hoopte maar dat Mina, de dienstbode, daadwerkelijk aan het werk ging en niet de brutaliteit zou hebben om haar oor tegen de deur te luisteren te leggen! Keetje moest de koeienstal uit gaan mesten.

Even later knikte ze naar haar schoonmoeder, vastberaden om zich niet zomaar gewonnen te geven. Eenmaal in de mooie kamer deed ze zorgvuldig de deur achter hen dicht.

'Gaat u zitten, moeder Los, dan schenk ik eerst koffie voor u in. U heeft uiteindelijk al een eind gelopen.'

Dat deed ze voornamelijk om tijd te winnen, besefte ze, in de hoop dat oom Schilleman er zo snel mogelijk zou zijn, en ook om even de tijd te hebben weer wat rustiger te worden.

Maar meteen knalde er achter haar rug een stortvloed aan woorden los, en die werden zeker niet vriendelijk of warm uitgesproken.

'Wie denk je eigenlijk wel dat je bent?' begon de andere vrouw, en toen Nele zich omdraaide om haar aan te kijken, zag ze in de ogen van haar schoonmoeder een blik van woede en minachting, zoals ze die zo vaak in de ogen van haar man had gezien als hij weer eens ontevreden was over het een of ander en dat dan op haar verhaalde.

'De dochter van een kleine boer! Jij denkt zeker dat je een grote boerderij als hoeve Sofie naar behoren kunt besturen? Laat me niet lachen! Je bent immers geen knip voor de neus waard.' De lach die op die woorden volgde was schamper. 'Weet je dan niet meer hoeveel bezwaren mijn zoon al snel na dat domme huwelijk tegen je kreeg? O, het is verschrikkelijk dat God hem zo onverwacht tot Zich heeft geroepen, maar ik kan nu niet anders dan mijn eigen leven in Zijn dienst stellen, en ervoor gaan zorgen dat hoeve Sofie niet wordt verkwanseld door onbehoorlijk bestuur van een meisje zoals jij!'

'Ik ben zo terug, moeder,' wist Nele uit te brengen, vastbesloten niets van haar verbijstering over de frontale aanval te laten blijken. Ze stond bij het fornuis en vulde een kom met koffie. De tranen die ze door die harde woorden tegen wil en dank in haar ogen kreeg, kon moeder Los vanuit de mooie kamer gelukkig niet zien. Met de punt van haar schort veegde ze haar tranen weg, en zomaar ineens werd ze op dat moment weer kalm. Zo kalm zelfs, dat het haar verraste. Ze deed een haastig schietgebedje. 'Geef me de kracht om dit te weerstaan,' bad ze, terwijl ze zich omkeerde en terugliep naar de kamer waar de andere vrouw haar opnieuw vol minachting aankeek.

Nele vatte moed. 'Oom Schilleman heeft er al met mij over gesproken dat hij en ik een bedrijfsleider in dienst gaan nemen, om zodoende het werk van Ger voorlopig in zijn geest voort te kunnen zetten. Heeft hij dat niet aan u verteld?' Ze deed alsof ze daar verbaasd over was, omdat oom dat wel met haar had besproken en niet met zijn schoonzuster. 'Dat is jammer, moeder, maar bij dezen is dat meteen rechtgezet. Hij kent iemand die daarvoor heel geschikt is, zegt oom. Met die man gaan we dus verder praten. Deze oplossing is slechts nodig tot Bart oud genoeg is geworden en genoeg heeft geleerd zowel van oom als van die aan te nemen bedrijfsleider om het werk van zijn vader voort te zetten. Dat is immers wat verwacht mag worden van zijn zoon en opvolger. Ik blijf vanzelfsprekend hier wonen zolang als dat nodig is, om het huishouden te doen zoals ik dat in de twaalf jaren van mijn huwelijk ook altijd heb gedaan. Ik blijf alles in goede banen leiden en voor mijn kinderen zorgen, zoals Ger zonder enige twijfel van mij zou hebben verwacht.' Dat laatste betwijfelde ze diep vanbinnen, maar ze hoopte maar dat ze die woorden uitsprak zonder die twijfel in haar stem te laten doorklinken.

De oudere vrouw moest volkomen overdonderd zijn door de onverwachte tegenstand van haar gehate schoondochter, want even had ze geen weerwoord.

'Moeder Los, met alle respect,' ging Nele dan ook snel verder, 'u bent al jaren geleden op een leeftijd gekomen waarop de mensen die zich dat kunnen permitteren, een stapje terug doen en meer rust gaan nemen. Bovendien vraagt de zorg van vader inmiddels ook veel aandacht. Het zou werkelijk te veel van u gevraagd zijn als u op uw gevorderde leeftijd hier ook nog eens alle verantwoordelijkheden zou moeten dragen. Ik ben het volledig met oom Schilleman eens dat dit bovendien in het geheel niet nodig is. Daarnaast, het zomerhuis is veel te bouwvallig voor vader met zijn slechte gezondheid. Dat kunt u hem toch niet aandoen? Ook Ger vond dat een paar jaar geleden al, maar hij is er niet meer toe gekomen het oude zomerhuis op te knappen. Dus daar uw intrek in nemen is op korte termijn evenmin een optie. Terugkomen op de boerderij levert door dit alles te veel bezwaren op en nogmaals, het is in het geheel niet nodig. Binnenkort ga ik samen met oom Schilleman – die Ger hoog had zitten, zoals u weet – een gesprek aan met de man die hij op het oog heeft om tijdelijk en voor de komende jaren de vervanger van Ger te worden.' Ze stond er zelf van te kijken waar ze de moed vandaan haalde om dit alles op een hopelijk overtuigende manier te zeggen. Ze keek haar schoonmoeder recht aan. 'Dus u kunt rustig blijven genieten van een betrekkelijk rustige oude dag, al begrijpen we allemaal dat het soms onberekenbare gedrag van vader u de nodige zorgen geeft, en dat u er soms uw handen vol aan heeft om hem naar behoren te verzorgen.'

Twee seconden lang staarde de oudere vrouw haar schoondochter met een blik vol haat aan. Ze moest zich totaal overvallen voelen, begreep Nele in die stilte.

'Heus, moeder, het is helemaal niet nodig dat u op uw oude dag weer zo hard moet gaan werken,' vervolgde ze toen met een onmiskenbaar tikje venijn in haar stem, en haar eigen stem klonk veel zelfverzekerder, hoopte ze, dan ze zich vanbinnen voelde.

'Wat denk je wel!' barstte de ander toen fel los.

Nele beet op haar lip. Opnieuw sprongen er tranen in haar ogen en de ander moest die zien, maar de venijnige stem ratelde gewoon door. Jaren van frustratie over het huwelijk dat haar oogappel tegen haar wil had gesloten, kwamen nu naar buiten, zo veel begreep Nele er wel van. Maar ze hield onder al die sneren en hatelijkheden toch haar rug recht en haar kin fier omhoog.

Toen de ander eindelijk naar adem leek te moeten happen, ging Nele kalm en naar ze hoopte waardig verder: 'De boerin van hoeve Sofie, dat ben ik. Dat ben ik omdat uw zoon ervoor gekozen heeft om mij als zijn echtgenote aan zich te binden. Het was zijn eigen keus.'

'Waar hij dan al snel heel veel spijt van had.'

Ingegeven door de hatelijke woorden van zijn moeder, dacht Nele, want dat had ze al heel snel begrepen, en destijds was ze er machteloos tegen geweest. Kort na het huwelijk was Ger veranderd van een liefdevolle man in een man die te veel dronk, en die klappen uitdeelde als hij ergens ongenoegen over had, en dat was vaak het geval. Toch had ze hem twee kinderen geschonken, waaronder de felbegeerde stamhouder, al bleef daarna tot ongenoegen van haar man en haar schoonmoeder een volgende zwangerschap uit.

Nele haalde nogmaals diep adem en ging staan. Ondertussen bleef ze de ander recht aankijken. 'Ik ben de moeder van de volgende boer van hoeve Sofie en ik ben daarom ook verantwoordelijk voor het feit dat hij over een paar jaar mee gaat helpen en alles gaat leren wat hij nodig heeft om later een waardig opvolger van zijn vader te worden. Sommige dingen kunnen u en ik hem niet leren. Mannendingen. Oom Schilleman zal er daarom voor zorgen dat Bart alles leert wat hij weten moet om later een goede opvolger te worden voor zijn vader.'

'Dat had je maar gedroomd!' ging de oudere vrouw met een lage stem verder. 'De dochter van een klein boertje uit Maasdam! Je bent in mijn ogen niet veel meer dan een eigenwijze snotneus! Toen mijn zoon er tot ons grote verdriet op stond om met jou in het huwelijk te treden, in plaats van met de veel geschiktere Aleid Visser, verwant aan een van de grootste vlasboeren uit het dorp, was ik diep geschokt, dat is waar. Maar nee, hij wilde niet luisteren naar de wijze raad van zijn ouders. Hij moest en zou jou krijgen. En heb je hem gelukkig gemaakt? Welnee, natuurlijk niet, precies zoals ik al verwacht had. Je bakte er niets van!'

De deur ging open en oom en tante kwamen binnen, tot enorme opluchting van Nele.

Haar schoonmoeder, geschrokken van de onverwachte toehoorders, bond onmiddellijk haar toon in, al klonk die nog steeds vol minachting.

'Nele schijnt te denken dat ze het hier in haar eentje wel kan redden,' vervolgde ze met een bedrieglijk kalme stem. 'Zeg jij haar eens, Schilleman, dat ze zich schromelijk vergist, en dat ze alles veel beter aan mij over kan laten. Toe, zwager, alsjeblieft, sta daar niet zo dom te kijken!'

Oom ging zwijgend zitten en keek daarna vragend van de jonge vrouw naar de oudere. Tante Lijsbeth zweeg ook en ging eveneens zitten. Er was een loodzware stilte in de deftige kamer van de boerderij gevallen. Nele voelde haar moed wegzakken en keek onzeker van oom naar tante en van haar weer naar haar schoonmoeder, die inmiddels van pure agitatie een hoogrode kleur op haar wangen had gekregen.

'Adrie is door Nele gestuurd om mij te halen en dat lijkt me niets te vroeg,' verzuchtte oom Schilleman. Hij keek weer onderzoekend van de oudere vrouw naar de jongere, haalde eens diep adem en zocht duidelijk naar de juiste woorden om dit gevoelige moment in goede banen te leiden, voor zover dit tenminste mogelijk was.

'Gisteren hebben we helaas mijn neef moeten begraven, jouw zoon, Alie, en jouw man, Nele. Het was een zware gang voor ons allemaal en Ger zal gemist worden. Door ons, door zijn kinderen die nu zonder vader op moeten groeien, en ook door hoeve Sofie, die eigenlijk niet zonder hem kan. Echter, van Hogerhand is blijkbaar de beslissing genomen dat zijn tijd op deze aarde voorbij was, en daar kunnen wij als mensen niets aan veranderen. Ons gezamenlijk belang is vanaf vandaag dat er in de komende jaren zo goed mogelijk voor de boerderij wordt gezorgd en dat Bart, met steun van ons allemaal en in een goede sfeer zonder afgunst, haat of nijd, kan opgroeien en zich kan bekwamen om later de boerderij te kunnen overnemen. De kinderen moeten zo gelukkig mogelijk op kunnen groeien, zijn we het daar allemaal over eens?'

Nele was de eerste die nadrukkelijk knikte. 'Ja oom, dat zeker.'

Ook moeder Los knikte, zij het heel wat aarzelender. 'Ik maak me veel zorgen om de kinderen, Schilleman. Sofie moet uiteindelijk later ook een goede partij kunnen doen, en dat zal niet gebeuren als de boerderij wordt verwaarloosd en...'

'Toe Alie,' liet tante Lijsbeth zich eindelijk horen. 'Jij gaat er blijkbaar zonder meer van uit dat Nele er niet toe in staat zal zijn de kinderen op te laten groeien tot twee volwassen mensen op wie wij als familie trots kunnen zijn. Maar ik denk dat jij je daarin behoorlijk vergist.'

'Ger... Nu ja, hij had er bittere spijt van met haar te zijn getrouwd, laten we daar op dit moment maar liever geen doekjes om winden.'

'Ger hield te veel van een borreltje op z'n tijd, net als zijn vader vroeger, Alie. Laten we dat dan ook liever niet verhullen. Dat heeft zijn mening over mensen geen goed gedaan. Hij verloor aan de andere kant door zijn soms losse handjes het respect van veel mensen, dat weet je best.'

'Over de doden niets dan goeds, Lijsbeth. Dat zijn alleen maar gemene praatjes, de wereld in geholpen door...'

'Alie!' Nu was de stem van oom Schilleman scherp en boos tegelijk. De oudere man oogde ineens ontzettend vermoeid.

'Wat nu, Alie? Zitten we hier niet om gewoon de feiten te benoemen?'

'Natuurlijk, maar niet om over en weer beschuldigingen of lelijke woorden te uiten,' schoot tante Lijsbeth haar man weer te hulp, die er duidelijk moeite mee had om hier de vrede te bewaren met zijn schoonzuster op oorlogspad.

'Voordat u kwam, stelde moeder Los voor om met vader terug te komen naar de boerderij en om samen hun intrek te nemen in het vervallen zomerhuis. Ze denkt inderdaad dat ik niet in staat ben om alles hier in goede banen te leiden en dat ze dat zelf veel beter kan,' liet Nele zich horen.

'Juist. Wel, we kunnen natuurlijk nuchter de feiten bekijken. Je bent een uitstekende huisvrouw, Nele. Een goede boerin, dat is waar, maar boer zijn, dat is iets heel anders. Met alle respect naar jullie allebei toe, Alie is geen boer en jij bent dat evenmin. Toevallig kwam ik een tijdje geleden Gijsbert van Damme tegen. Jullie hebben toch weleens van hem gehoord? Hij is een aantal jaren geleden naar de stad vertrokken en nu toch weer teruggekomen. Hij miste de ruimte en de rust van het platteland, vertelde hij me, en het boerenleven. Werken op het kantoor van een grote havenbaas was toch niet wat hij zich ervan had voorgesteld, vertelde hij. Maar ja, jullie kennen de situatie, hij heeft drie oudere broers. Op de boerderij van die familie was destijds en is nu nog steeds geen werk voor hem. Hij werkte al sinds afgelopen zomer voor een zwager van me, maar is daar niet langer nodig.'

Nele wist dat de boerderij van de familie Van Damme een van de grootste vlasboerderijen in de regio was. Ze groef in haar geheugen. 'Ik herinner me hem wel. Kwam hij niet uit Mookhoek?'

'Zijn oudste broer zit nu op de ouderlijke stee bij Mookhoek. Zoals gezegd, het was destijds een gezin met alleen maar jongens. Dus moesten de jongere broers ergens anders werk gaan zoeken. Gijsbert heeft, voor hij destijds vertrok, zelfs een paar jaar op de hbs in Oud-Beijerland gezeten omdat hij goed kon leren. Hij is een paar jaar later na zijn huwelijk naar de stad vertrokken. Hij hoefde daar niet te sjouwen zoals de meeste mannen die in de haven werken, maar wist een goede kantoorbaan te bemachtigen. Zijn ouders leefden toen nog en waren daar erg trots op. Maar ja, het bloed kruipt kennelijk waar het niet gaan kan. Hij is en blijft toch een boerenzoon. Nu wil het toeval dat jullie verlegen zitten om een kerel met kennis van zaken. Dus ik dacht zo, Gijsbert van Damme zou een goede bedrijfsleider kunnen worden voor hoeve Sofie. Dat zou een zorg minder betekenen voor ons allemaal.'

'Ik kan...'

'Luister nu even, Alie, niet zo snel! Jij hebt blijkbaar in de afgelopen moeilijke en emotionele dagen al in je eentje beslissingen zitten nemen, maar de vraag is natuurlijk wel of dat verstandig was, gezien de schok die we allemaal hebben gekregen en die we elk op onze eigen manier en met behulp van Boven nog moeten zien te verwerken. Dus laten we zonder verwijten welke kant dan ook op, de feiten nu eens nuchter op een rijtje zetten. We beginnen met jou, Nele. Hoe heb jij je in de afgelopen dagen de toekomst voorgesteld?'

Zelfs oom en tante kon ze niets vertellen van het gevoel van opluchting dat de plotselinge dood van haar man ontegenzeggelijk had gegeven en dat voor Nele alles overheerste. Over de toekomst had ze eerlijk gezegd nog niet goed nagedacht, maar ze begreep dat dit niet langer kon worden uitgesteld. Het gevoel van trots dat ze had gevoeld door niets van die opluchting te laten merken, al op het moment dat ze aan de rand van het graf stond,

stond haarscherp in haar geheugen gegrift.

Het huwelijk was moeilijk geweest. Ger had haar diep teleurgesteld en zij hem ongetwijfeld ook. Een huwelijk was echter voor altijd, niemand kon daar iets aan veranderen. Ze had haar verdriet dus zo veel mogelijk verborgen en zich gericht op haar twee kinderen, van wie ze zielsveel hield. Hoe de kinderen zich later hun vader zouden herinneren, daar kon ze nog niets over zeggen, maar zij was eigenlijk vooral opgelucht om niet nog tientallen jaren lang zo neerbuigend en gewelddadig door haar man behandeld te hoeven worden. Altijd was hij ontevreden geweest over haar vele tekortkomingen, hij was altijd boos op haar, maakte altijd laatdunkende opmerkingen dat ze niets kon en niets waard was, gaf haar klappen zo nu en dan, en als hij te diep in het glaasje had gekeken – wat minstens wekelijks wel één of twee keer het geval was geweest – dan kon ze helemaal geen goed doen in zijn ogen. Ze was gaan denken dat hij vooral onder invloed van zijn moeder zo geworden was. De haat die de oudere vrouw haar toedroeg, was altijd voelbaar geweest en nog geen uur geleden duidelijker dan ooit aan de oppervlakte gekomen. Ondanks dat ze dat wel wist, hadden de woorden die moeder Los daarnet had gesproken, Nele diep gekwetst. Ze voelde opnieuw tranen naar haar ogen dringen en wist niet of ze dat wel helemaal verborgen kon houden voor de lieve en vooral opmerkzame tante Lijsbeth.

'Ik weet alleen dat ik mijn kinderen een goede opvoeding wil geven. Met moeder ben ik het helemaal eens als het erom gaat dat Bart sturing nodig heeft om later een goede opvolger van zijn vader te kunnen worden. Sofie is een lief en wat dromerig meisje. Ze kan goed leren. Ik zou wel willen dat ze straks als ze twaalf is, niet meteen thuis hoeft te komen om mee te helpen op de boerderij, maar dat ze dan nog iets meer kan leren. Misschien zou ze naar de naaischool kunnen gaan?'

'Wat heeft ze daar nu aan, als ze later boerin wordt?' beet moeder Los haar toe met de bekende neerbuigende klank in haar stem, alsof ze vond dat haar schoondochter niet in staat was ook maar één zinnig woord te uiten.

'Goed dan,' suste oom meteen weer. 'Jullie zijn het er dus over eens dat de kinderen voorbereid moeten worden op een goede toekomst. Voor Bart ligt die zonder meer op de boerderij. Voor Sofie zal het ervan afhangen of en met wie ze trouwt, eer we acht of tien jaar verder zijn, en dat ze daarop zo goed mogelijk voorbereid moet zijn. Nele?'

'Ja oom, dat spreekt vanzelf.'

'Alie?'

'Natuurlijk, maar...'

Oom viel zijn schoonzuster meteen in de rede. 'De vraag waarover we het dus met elkaar eens moeten worden, is: hoe gaat dat gebeuren? Nele is een goede moeder. Alie is hun grootmoeder en heeft daarbij ook een inbreng in hun opvoeding. Maar ik denk niet dat ze die opvoeding van Nele hoeft over te nemen omdat die dat niet goed zou kunnen. Lijsbeth?'

'Daar ben ik het helemaal mee eens, man.'

'Mooi zo. Nele, het is jouw belangrijkste taak om daarvoor te zorgen.'

'Natuurlijk, oom. Daar hoeven we verder geen woorden aan vuil te maken.'

'Alie?'

Zijn schoonzuster schokschouderde wat onwillig, maar ze kon niet veel anders doen dan knikken.

'Goed dan. Het belangrijkste punt blijft nu dus: wie gaat het werk van Ger overnemen? Zie jij jezelf met je duimen achter een paar bretels achter de vlasplukkers aan lopen, Alie?' Oom produceerde een glimlachje alsof hij lachen moest om zijn eigen opmerking over bretels. Bretels en broeken waren immers uitsluitend mannendingen!

'Iemand moet het doen, en ik heb veel ervaring,' sputterde moeder Los tegen. 'Wie doet het anders?'

'Een bedrijfsleider, dat is echt de beste oplossing.'

‘Dat kost alleen maar onnodig veel geld.’

‘Een goede bedrijfsleider verdient zichzelf terug, moet je maar denken. Uiteindelijk moet jij ook nog voor de oude Bart zorgen, en laten we daar eerlijk over zijn, zijn kindsheid wordt steeds erger. Hij loopt de deur uit zonder dat hij kan onthouden wat hij wilde gaan doen. Hij stookt het fornuis op tot het ding gloeit en brandt zich er vervolgens aan, omdat hij dat niet meer weet. ’s Nachts vergeet hij de po te gebruiken en heeft hij al enkele malen in de hoek van de kamer staan plassen. Alie, hoe wilde je daarnaast ook nog voor de boerderij gaan zorgen? Dat zou geen mens allemaal voor elkaar kunnen krijgen!’

‘Als wij in het zomerhuis komen wonen, kan Nele best op vader letten, en dan kan ik de arbeiders achter hun vodden zitten.’

‘Had je dat zo gedacht?’

‘Het leek me verreweg het beste. Nele kan nu eenmaal niet veel, daar was Ger maar al te duidelijk in.’

‘Het werd hem dan ook doorlopend door jou ingegeven, Alie,’ kwam de zachte stem van tante Lijsbeth ertussen. ‘Maar ik ben het met Schilleman eens. De zorg voor het vele werk dat Ger deed zou voor jou, als ontegenzeggelijk ouder wordende vrouw, binnen de kortste keren te zwaar worden. Laten we niet vergeten dat je al aardig naar de zestig gaat lopen. Over tien jaar ben je bijna zeventig. Wie zegt dat je dan nog leeft? Of we het nu willen weten of niet, maar wij zijn oud. Schilleman en ik, en jij helemaal, Alie, want jij bent maar liefst acht jaar ouder dan ikzelf ben, en ik zou er niet aan moeten denken nog jarenlang zulke lange dagen te moeten werken en zo veel zorgen en verantwoordelijkheden op mijn schouders te voelen rusten. Laat Schilleman voorlopig maar eens met die Van Damme gaan praten, voor we verdere beslissingen nemen. Voor hetzelfde geld blijkt die kerel helemaal niet geschikt, of heeft hij er zelf geen zin in. Uiteindelijk heeft hij de laatste jaren met zijn achterste in een stoel gezeten.’

'Het is maart. Binnenkort moet het vlas gezaaid worden. Iemand moet de werklui aansturen. Dat doe ik voorlopig, met behulp van en in overleg met jullie allebei,' suste Schilleman onmiddellijk de spanning die door de woorden van zijn vrouw weer opborrelde. Hij stond op. 'Dus zijn we het er voorlopig over eens? We beslissen gedrieën over het werk, in onderling overleg en onder mijn leiding, tot we een geschikte bedrijfsleider hebben gevonden en aangesteld om het werk van Ger de komende jaren over te nemen. Vind je dat goed, Nele?'

Ze knikte nadrukkelijk. 'Ja oom. Bart kan daadwerkelijk een goed voorbeeld aan u nemen.'

'Dank je. Hij is mijn neef en daarmee toch een beetje de zoon van Lijsbeth en mij, die we helaas zelf nooit hebben mogen krijgen. Alie?'

De oudere vrouw schokschouderde. 'Ik schijn niets meer in te brengen te hebben.'

'Integendeel,' hield haar zwager vol. 'We beslissen met elkaar, zodat jij niet in je eentje een veel te zware taak op je hoeft te nemen, en je kunt rouwen om het verlies van je zoon en enige kind, en zo goed als maar kan voor oude Bart zorgen. Dat is een mooie taak, Alie.'

'Het zal wel.' Moeder Los stond op en beende met een strak gezicht de mooie kamer uit. Schilleman en Lijsbeth keken elkaar met een zucht aan.

'Het zal niet gemakkelijk worden,' mompelde Nele zachtjes.

'Nee kindje, er zullen vaker botsingen komen, maar laat je daardoor niet beïnvloeden. Denk niet dat alle mensen je in de steek hebben gelaten. Je ouders leven niet meer, je broers wonen verder weg en hebben het druk met de ouderlijke boerderij en hun eigen gezinnen. We hebben heus wel beseft dat je het lang niet altijd even gemakkelijk hebt gehad in je huwelijk met Ger. Maar vergeet niet dat er maar één daadwerkelijke oplossing is nu we in deze situatie terechtgekomen zijn: we moeten de handen ineenslaan en op God vertrouwen. Dan kunnen we over een paar

3

Opnieuw stond Nele op de begraafplaats en keek ze naar de losse klei, die de plek afdekte waar ze haar man een paar dagen geleden hadden begraven. Ze voelde bijna fysiek hoe de ogen van sommige mensen in haar rug prikten. Aan elke hand had ze een kind, die beiden een tikje onder de indruk zwegen. De preek vanmorgen was haar lang gevallen. Ze voelde zich onrustig. Het gezicht van haar schoonmoeder stond strak en afkeurend, maar was ze dat anders gewend geweest? Dat gezicht waar dat van Ger zo veel op geleken had!

Ze slaakte een zucht, ze was aangeslagen maar niet verdrietig. Het was immers naar de buitenwereld toe dat ze de schijn van een treurende weduwe ophield, want iets anders werd nu eenmaal niet van een jonge weduwe verwacht. In haar hart overheerste vooral het gevoel van opluchting. Ze werd nu niet langer geslagen of beledigd. Ze kon langzamerhand weer zichzelf worden. En de steun van oom Schilleman en tante Lijsbeth was onverwacht, maar o zo welkom en waardevol.

Komende zaterdagmiddag zou oom met die Van Damme langskomen om te praten. Ze had het al met Adrie Dalebout over het zaaien gehad. Het was nu half maart, de kou van de winter was verdwenen. Deze week zou Adrie met eggen beginnen. In de schuur van hoeve Sofie was het laatste graan gedorst. Dat gebeurde nog met de hand, al had Ger afgelopen winter wel overwogen om zo'n nieuwe dorsmachine aan te schaffen die werkte op stoom en die je op grote boerderijen steeds vaker zag. In de zwingelkeet onderging het vlas van vorig jaar de laatste bewerkingen, dat moest het liefst klaar zijn als straks de tijd van het wieden weer aanbrak. Het drukke buitenseizoen voor de boeren begon binnenkort weer, en hoeve Sofie was, net als zo veel andere boerderijen in hun dorp 's-Gravendeel in de Hoeksche Waard, in de eerste plaats een vlasboerderij. Het jaar 1910 was nog niet eens drie maanden oud. Koningin Wilhelmina was vorig jaar moeder geworden van een kleine prinses, eindelijk, want ze was al jaren getrouwd en had in die jaren meerdere miskramen gehad. Overal was hoop.

Nele haalde diep adem en snoof de frisse lucht, waarin het voorjaar ineens duidelijk voelbaar was, diep in zich op. Gek genoeg lachte het leven haar meer toe dan het de afgelopen jaren had gedaan. Al jaren geleden had ze beseft dat haar huwelijk bij lange na niet het geluk had gebracht dat ze er ooit als naïeve bruid van had verwacht. Al snel daarna had ze last gekregen van de beklemmende wetenschap dat er nooit meer een weg terug zou zijn. Maar nu was ze vrij, al moest ze best aan dat gevoel wennen omdat het overlijden van haar man zo onverwacht gekomen was.

Nele rechtte haar rug en keek naar haar zoon en haar dochter. 'Kom, we gaan weer naar huis.'

Nee, ze ging vandaag niet, net als toen Ger nog leefde, op zondag na de kerkdienst koffiedrinken bij vader en moeder Los. Terug bij de sjees, waar Adrie geduldig op haar wachtte, sprak ze haar schoonmoeder aan.

'Als u bij ons koffie wilt komen drinken, bent u vanzelfsprekend van harte welkom, moeder. En jullie ook, oom en tante.' Haar stem klonk rustig. Ze voelde zich rustig. Rustiger in ieder geval dan in lange tijd het geval was geweest. De eerste aanval van moeder Los, een paar dagen geleden, om de touwtjes op de boerderij in handen te nemen en haar opzij te schuiven, was afgewend. En met behulp van oom en tante zou het haar zeker gaan lukken om eventuele verdere pogingen van haar schoonmoeder om zich meer dan nodig was met het leven van haar schoondochter en kleinkinderen te gaan bemoeien, af te wenden.

Ze klom in de sjees en keek met een vage glimlach om haar mond naar oom en tante. 'Ik hoop echt dat jullie willen komen.'

'Dat doen we,' glimlachte tante Lijsbeth met een nauwelijks verholen blik op haar zuster, die natuurlijk nors keek en had verwacht dat alles bij het oude bleef: ze vond dat iedereen maar net als vroeger naar haar toe moest komen. Adrie klakte met zijn tong en Bruin begon te lopen. Bruin was een lief en rustig paard, het kon voor de koets evengoed als voor een boerenkar.

Tante Lijsbeth knikte. 'Tot zo, Nele. Jij hebt de kinderen, wij nemen mijn zus en zwager wel mee.'

Nele knikte terug. Moeder Los trok aan de arm van haar man. Zou ze komen, vroeg Nele zich in stilte af. Maar ze ging ervan uit dat moeder zich nog niet zomaar gewonnen zou willen geven, dus ze dacht van wel.

En gelijk had ze.

'De wandeling zou vader goedgedaan hebben, maar het was gemakkelijker om mee te rijden,' begon de oudere vrouw zodra ze een halfuurtje later met elkaar in de mooie kamer zaten. Daar zouden ze voortaan op zondag na de ochtenddienst koffiedrinken, besloot Nele. Oom Schilleman stond nog buiten met Adrie te praten. Dat zou wel over het eggen en het vlas gaan, over welke percelen precies moesten worden ingezaaid met dit voornaamste gewas dat de streek zijn grote bloei bezorgde. Al had Ger dat ook al met de knecht besproken, voor zover Nele wist.

Tante Lijsbeth was drukdoende in de keuken met koffie en cake. Ze wilde niet dat Nele haar kwam helpen. 'Je hebt een nare tijd achter de rug. Rust vandaag maar eens lekker uit,' had tante gelachen.

Vreemd, dat twee zussen zo van elkaar konden verschillen, dacht Nele niet voor de eerste keer verbaasd. Was moeder Los als kind al zo bazig en onaardig geweest? Ze zou er tante beslist eens naar moeten vragen!

Toen oom naar binnen kwam en moeder Los juist ongegeneerd een flinke scheut cognac in haar koffie deed, zoals Ger dat vroeger ook zo vaak had gedaan, wreef hij in zijn handen. 'Die Adrie is een geschikte kerel, Nele.'

'Zeker. Hij werkt al jaren hier. Ger zei altijd dat hij blind op hem kon vertrouwen.'

'Daar had hij beslist gelijk in. Lekker, dank je, vrouw.' Hij nam een dampende kom koffie van tante Lijsbeth aan.

'Ik wil het toch nog eens over die mogelijke bedrijfsleider hebben, Schilleman,' begon zijn schoonzuster nadat ze een flinke slok van de inhoud van haar koffiekop had genomen. 'Volgens mij is dat helemaal niet nodig, want ik...' Een blik van haar zwager deed haar de zin onderbreken. 'Wat kijk je nu?'

'Dit hebben we op de dag na de begrafenis al besproken, Alie. Dat hoeft niet opnieuw.'

'Maar toch... Ik denk dat je nog eens aan de kosten moet denken, terwijl ik...'

Haar zwager onderbrak haar opnieuw. Nele keek van de een naar de ander, maar besefte dat ze zich op dit moment maar het beste stil kon houden.

'Ik ben gisteren al naar de boerderij van zijn broers in Mookhoek gereden en trof hem daar gelukkig zelf aan, terwijl hij op de zolderkamer waar hij nu verblijft zat te schrijven.' Oom moest lachen. 'Hij is blijkbaar inderdaad een kerel met boekenwijsheid in zijn hoofd, maar zijn handen staan volgens zeggen niets verkeerd waar het boerenwerk betreft. Ik heb hem een voorstel gedaan en hij heeft er in eerste instantie wel oren naar. Op zaterdagmiddag komt hij hierheen om de boerderij te bekijken, met Nele en het personeel kennis te maken en pas daarna neemt hij een beslissing. Hij had over onze situatie gehoord en liet weten in principe geïnteresseerd te zijn, omdat hij toch liever op het platteland woont in plaats van in de drukke stad. Hij wil wel een paar jaar op het eiland blijven.'

Moeder Los snoof. 'Boekenwijsheid? Daar heb je op een boerderij helemaal niets aan!'

'Toe nu, Alie! Iemand moet hier het werk in goede banen leiden en dagelijks toezicht houden, zeker nu het binnenkort weer zo druk gaat worden. Voor mij zou het te veel worden, twee boerderijen, want dat is de tweede optie omdat het voor jou al helemaal geen doen is, met de zorg om Bart, en wij zijn nu eenmaal de jongsten niet meer. Lijsbeth zei het al: ze zou er niet aan moeten denken om zo veel verantwoordelijkheden te moeten dragen.'

'Wel, ik ben Lijsbeth niet en ik ben nooit van mijn leven bang geweest voor verantwoordelijkheden!'

Zo ging het gesprek nog zeker een halfuur op en neer, maar Nele was zo verstandig het langs haar heen te laten gaan.

Eindelijk stond oom op. 'Ik zal Adrie zeggen de sjees weer in te spannen en jou en Bart terug naar het dorp te rijden, Alie. Hoewel je er nooit een probleem van hebt gemaakt om dat stuk te lopen, is het voor Bart te ver.' Hij glimlachte vastberaden.

Lijsbeth hielp Nele de kop-en-schotels naar de keuken te brengen. 'Mijn zus bedoelt het goed, maar ze heeft er moeite mee dat ze niets meer in te brengen heeft,' suste ze.

'Ik weet het, tante. Ze zal wel bijtrekken in de komende weken.'

'Vertrouw daar maar niet al te veel op. Enfin, het is nog te vroeg om te zeggen dat alles wel voor elkaar komt, want we weten helemaal niet of die Van Damme er wel zin in heeft om hier te komen. Waar moet hij overigens verblijven, als hij het doet? Heb je daar al over nagedacht? Ik bedoel, in het huis kan niet. Jij bent weduwe en dus alleen, en hij brengt blijkbaar ook zijn vrouw niet mee. Twee mensen die alleen zijn onder één dak, daar zouden de mensen in het dorp terecht wat van te zeggen kunnen hebben.'

De volgende dag gaf Nele Adrie de opdracht om ervoor te zorgen dat de noodzakelijkste reparaties aan het zomerhuis op korte termijn zouden worden uitgevoerd. Hier en daar moest het houtwerk worden vernieuwd. Sommige ruiten waren kapot of gebarsten, die moesten dus vervangen worden. En als hij klaar was, moest de meid het hele zomerhuis grondig zemen en schoonmaken, zodat het weer min of meer bewoonbaar zou zijn als er inderdaad een man alleen als bedrijfsleider op hoeve Sofie zijn intrek zou komen nemen. Er was een bedstee in het zomerhuis, er stonden een oude tafel en een paar stoelen en er was een oude potkachel om het huis wanneer nodig te verwarmen. De man zou vanzelfsprekend bij hen in de grote boerenkeuken mee kunnen eten. Dat deden de vaste knechten en Mina ook. Ze hadden twee meiden op hoeve Sofie, al hielp Nele gewoon zelf mee met huishoudelijke klussen. Maar schoonmaken en zo liet ze aan het personeel over. Koken vond ze veel leuker, dat deed ze graag zelf of samen met Mina. Vroeger, in de tijd van haar schoonmoeder, was er op de boerderij nog kaas gemaakt, maar dat gebeurde nu niet meer, wel karnden ze nog zelf boter voor eigen gebruik. De meeste melk die hun acht koeien gaven, werd tegenwoordig opgehaald en naar de melkfabriek gebracht. Die werkte op stoom, zodat het zware handwerk van karnen en kaasmaken van vroeger niet langer nodig was.

Moeder Los kwam ondertussen weer net als vroeger bijna elke dag wel even op de boerderij kijken, meestal als haar man zijn gebruikelijke middagdutje deed na de warme maaltijd tussen de middag. Toen haar zoon nog leefde, bespraken ze dan vaak samen alles wat er op de boerderij gebeurde. Nele kon eigenlijk best begrijpen dat moeder Los dat miste, maar zelf zat ze allerminst op die bezoekjes te wachten.

De kinderen gingen weer naar school. Zelf had ze die dag net de afwas gedaan en de vaat opgeruimd, en daarna breide ze verder aan nieuwe kousen voor Sofie. Ze keek op toen de oudere vrouw binnenstapte en zette zich ongewild meteen schrap voor nieuwe verwijten en opmerkingen. Die kwamen dan ook meteen, zoals ze al had verwacht.

'Zit je weer niets te doen?' was dan ook de eerste opmerking, nog voor de oudere vrouw goed en wel aan de keukentafel was gaan zitten.

Nele besloot er rustig onder te blijven. 'Dag moeder. Ik brei nieuwe kousen voor Sofie, witte voor de zondag.' Ze legde het werk neer om een kop koffie voor haar schoonmoeder in te schenken, zoals ze wist dat ze die graag dronk. Ze nam er zelf ook een en keek de oudere vrouw toen recht aan.

'Ik kan me voorstellen dat u Ger erg mist,' begon ze voor haar doen medelevend en openhartig.

Zelfs nu kwam er geen traan, maar eerder een verbeten trek om de mond van de ander. 'Het is gewoon oneerlijk dat hij zo vroeg moest sterven.'

'Ja moeder, we begrijpen soms niet waarom sommige dingen gebeuren. Maar ik begrijp best dat u hem mist,' herhaalde Nele.

Haar schoonmoeder nam een slok en keek haar toen strak aan. 'Wat het vlas betreft, Nele, dat moet je dit jaar laten zaaien op de percelen waar vorig jaar gerst op is verbouwd.'

'Ja moeder, ik weet ook wel dat tarwe, gerst en haver goede voorvruchten zijn voor vlas.'

Zoals bij veel gewassen het geval was, werden de beste oogsten verkregen als op het land elk jaar een ander gewas werd verbouwd. Dat heette vruchtwisseling. Aardappelen konden immers ook niet twee jaar achter elkaar op hetzelfde perceel worden verbouwd, en bij vlas was dat ook het geval. Een boer moest zorgvuldig de stukken land uitkiezen waarop hij vlas wilde gaan zaaien, want het gewas vroeg om niet te zware klei, die goed vocht doorlatend was en toch nog genoeg vocht kon vasthouden zodat het water dat de planten nodig hadden, de wortels goed kon bereiken. Maar nog maar een paar weken geleden had Nele Ger aan Adrie horen vertellen op welke percelen hij dit jaar vlas wilde gaan zaaien. Gelukkig maar, achteraf gezien, dat ze daar bij had gezeten, al had ze vanzelfsprekend gezwegen, zoals mannen nu eenmaal van hun vrouwen verwachtten.

Ze keek haar schoonmoeder zo vriendelijk mogelijk aan. Ze moest blijven proberen hun verstandhouding te verbeteren, nam ze zich voor. Zij was uiteindelijk de oma van haar kinderen, ze moest er voortaan alleen voor zorgen dat de oudere vrouw niet haar leven zou bepalen, nu haar zoon dat niet meer kon doen. Ze voelde zich sterker nu ze niet langer elke dag door haar man de les gelezen werd over alles wat ze fout deed in zijn ogen. En moeder Los moest in de komende tijd gaan beseffen dat ze daar eveneens mee op moest houden.

Ze vertelde dus op welke percelen Ger vlas had willen zaaien en zei ook dat hij dat voor zijn dood met Adrie besproken had. Verder zouden ze aardappelen gaan verbouwen, tarwe en gerst, en natuurlijk voederbieten voor het vee.

'Probeer je soms indruk op me maken?' was de volgende sneer die op haar werd afgevuurd. Even moest Nele de neiging onderdrukken om gewoon te zeggen dat moeder Los maar liever niet meer langs moest komen, als ze aldoor zo hatelijk tegen haar wilde blijven doen. Maar ze bedwong die neiging. Haar schoonmoeder de deur wijzen was uiteindelijk niet meer dan een laatste optie als er grote ruzie mocht ontstaan, en nu oom en tante haar zo goed hielpen, wilde ze dat absoluut voorkomen.

'Moeder, Ger was tot aan zijn dood de boer en ik heb me nooit ergens mee willen bemoeien. Hij was een goede boer, maar dat wil niet zeggen dat ik van niets weet. Ik ben evengoed een boerendochter, ik ben opgegroeid met alles wat mijn vader en broers vertelden over de boerderij. Ik heb ook jarenlang naar Ger geluisterd. Zoals verwacht mocht worden, ben ik nooit te beroerd geweest om mijn handen te laten wapperen als het werk dat vroeg. Ik zou het dus wel prettig vinden als u niet steeds doet alsof ik van niks weet. Dat zal ik immers ook nooit van u zeggen? Het zou allemaal zo veel plezieriger zijn als we gewoon met wederzijds respect met elkaar om kunnen gaan.'

Even leek moeder Los perplex te zijn. 'Wel heb ik nu! Waag je het soms om míj de les te lezen, Nele?'

'Nee, moeder,' antwoordde Nele met nauwelijks verhulde ergernis. 'Ik stelde feitelijk alleen maar voor om eens te proberen op een prettiger manier met elkaar om te gaan, dus met wederzijds respect.'

'Ik weet hoe mijn zoon over jou dacht. Respect, praat me er niet van! Dat is iets wat verdiend moet worden, Nele.'

'Ja moeder, en ik vind zelf dat ik dat best heb verdiend. Wilt u nog koffie? Want ik ga zo naar buiten om in de zwingelkeet te kijken. Zoals Ger dat altijd deed, weet u wel?'

'Dat doet Schilleman wel.'

'De meeste arbeiders moeten aangestuurd blijven,' vond Nele. Ze stond op en vulde de koffiekop van de oudere vrouw opnieuw, maar niet die van zichzelf. 'Ik zou het ook aan oom kunnen vragen, maar die heeft al genoeg werk op zijn eigen stee. En ik vind het wel prettig als de arbeiders weten dat ik hen in de gaten houd, maar wel op een vriendelijke, vrouwelijke manier. Maar de mensen zullen niet kunnen zeggen dat op hoeve Sofie alles in het honderd loopt omdat de boerin er de kantjes afloopt.'

'Dan ga ik met je mee.'

'Dat is niet nodig, maar als u dat zo prettig vindt, heb ik er geen bezwaar tegen. Echter, de bevelen komen voortaan van mij, of straks van een eventuele bedrijfsleider.'

Beide vrouwen keken elkaar strak in de ogen.

Deze keer was moeder Los de eerste die zich omdraaide, maar Nele had een blik in haar ogen gezien die haar niet bepaald geruststelde.

4

Veel te snel waren de dagen daarop voorbijgegaan en was de zaterdag aangebroken. Het was nog niet eens negen uur, toen moeder Los al met een vastberaden trek om haar mond als eerste de keuken binnenstapte.

'Wat er ook beslist gaat worden, ik vind dat vader en ik erbij moeten zijn,' liet ze op gedecideerde toon weten, nog voor ze zelfs maar haar omslagdoek aan een spijker naast de keukendeur had gehangen.

'Is vader met u meegekomen?' vroeg Nele verbaasd en uiterlijk volkomen kalm. 'Waar is hij dan?'

Ze had heus wel verwacht dat moeder Los zich niet zomaar neer zou leggen bij de beslissing dat het werk van Ger de komende jaren overgenomen zou worden door een bedrijfsleider, en al helemaal niet door iemand die ze niet eens kende, en evenmin zelf had uitgekozen. Nele besloot meteen de verzoenende houding van eerder deze week voort te zetten en niet langer te reageren op sneren en opmerkingen van de vrouw die het haar daarmee de afgelopen jaren soms heel moeilijk had gemaakt.

'Hij was nog niet klaar. Hij is tegenwoordig zo langzaam.' Er volgde een zucht. 'Na de schaft moet Adrie Bruin maar even voor de sjees spannen en hem op gaan halen.'

'Natuurlijk, moeder,' reageerde Nele met een uitgestreken gezicht. 'Hopelijk is hij ondertussen niet vergeten dat hij zich aan moest kleden. Volgens mij wordt zijn vergeetachtigheid de laatste tijd steeds erger.'

Haar schoonmoeder knikte in een zeldzaam moment waarop beide vrouwen het met elkaar eens leken te zijn. 'Helaas wel. En beter wordt hij ook niet meer. Zijn vader was ook zo, in de laatste jaren van zijn leven. Op het laatst wist hij niets anders meer dan dingen van heel vroeger.'

'Het is bijna schafttijd, moeder. Laten we zo verstandig zijn om geen zaken die de boerderij aangaan te bespreken waar het voltallige personeel bij zit.'

'Wat denk je wel?' sputterde de oudere vrouw. 'Is het zwingelen van het vlas nog steeds niet klaar?'

'Het schiet lekker op, moeder, en als de opkoper weer komt, kunnen we hem nog een flink aantal mooie knotten vlaslint laten zien. Adrie is bezig met eggen en gaat binnenkort met zaaien beginnen.'

'Dat had Ger moeten doen.'

Haar man had altijd zelf het vlas willen zaaien, want goed kunnen zaaien was niet voor elke man weggelegd. Zaaien gebeurde immers met de hand. Het zaaigoed moest goed worden verdeeld en gelijkmatig over het land worden uitgestrooid, zodat het gewas niet te dicht op elkaar en ook weer niet te dun, maar juist gelijkmatig op kon groeien. Het zaaien van vlas gebeurde meestal rond de honderdste dag van het jaar, begin april dus, en weer honderd dagen later was het dan de tijd dat het vlas weer moest worden geplukt. Als in maart op een mooie dag de eerste lammetjes in de wei verschenen, de eerste tekenen dat de lente weer aanbrak, was het ook altijd bijna tijd voor het zaaien van vlas.

Hier in hun dorp, maar ook op de rest van het eiland en op Goeree-Overflakkee, was vlas een belangrijk gewas. Er waren boeren voor wie het vlas een van de belangrijkste producten was, maar die ook andere gewassen verbouwden. De meeste boeren bewerkten hun eigen vlas tot het vlaslint klaar was om te worden opgekocht door de opkopers van de spinnerijen. Daar werd het vlaslint uiteindelijk gebleekt, waarna het werd gesponnen tot linnen. Van dat linnen werden weer veel andere producten gemaakt, naast kleding ook tafelkleden, theedoeken en andere zaken voor huishoudelijk gebruik. Men sprak van oudsher over de linnenkast als de trots van een huisvrouw, al was de laatste jaren katoen in opkomst, omdat katoen veel goedkoper was dan linnen. Eer er linnen geweven kon worden, kende de teelt immers veel bewerkingen en al die noodzakelijke arbeid maakte linnen tot een veel duurder product. Niettemin was linnen al heel oud, had Neles vader haar verteld toen ze nog een klein kind was. Dominee mocht er in hun dorp graag op wijzen dat het linnen al in bijbelse tijden gewild en gewaardeerd was, maar alleen betaalbaar voor de rijken. In het Oude Testament werd er al over het gewas gesproken. Jozef kreeg linnen klederen van de farao, en ook in de tempel was al linnen gebruikt.

De kerkenraad van 's-Gravendeel bestond bijna geheel uit boeren, en dus voor het voornaamste deel uit de grote vlasboeren van hun dorp. Hoeve Sofie was een bedrijf dat de eigen vlasoogst verder liet bewerken door arbeiders, om het eindproduct vlaslint door een opkoper te laten kopen. Verder waren er in hun dorp veel grote vlassers die zelf arbeiders in dienst hadden, en die het vlas dan meestal per schip naar het eiland lieten vervoeren om het op hun eigen bedrijf verder te laten verwerken. Hun dorp kende meer dan genoeg goedkope arbeidskrachten. Het dorp bestond van het vlas!

'We kunnen dit jaar de grond ook verpachten aan Visser of Reedijk,' begon moeder Los, duidelijk van plan een vinger in de pap te houden.

'Die opmerking verbaast me, moeder. Ger wilde daar immers nooit van horen, en ik dacht juist dat we het erover eens waren dat alles zo veel mogelijk moet blijven zoals Ger het had gewild. En die wilde de grond niet verpachten. Dus waarom...'

Ze hield meteen haar mond toen het werkvolk naar binnen kwam. Mina schonk als gebruikelijk koffie in en Keetje deelde met boter besmeerde plakken peperkoek rond. Niettemin haalden de meeste mannen nog een paar boterhammen uit hun 'stikkezak'. Elke boerenarbeider nam brood mee in zijn stikkezak, soms alleen met boter of stroopvet, zo nu en dan met spek erop. Ook waren arbeiders gewoon om een kruik met koude thee mee te nemen om hun dorst te lessen, en als het in de wintertijd bitter koud was in de zwingelketen – wat vaak gebeurde omdat daar niet gestookt kon worden vanwege het grote brandgevaar – hadden sommigen ook wel een zakflacon bij zich met iets sterkers erin om er zo nu en dan een slok van te kunnen nemen tegen hun gortdroge en stoffige kelen.

Zoals sinds de dood van Ger steeds het geval was, sprak het werkvolk zacht met elkaar en wierpen ze soms schuwe blikken op moeder Los en Nele. Het leek wel alsof ze bang waren om ergens om te moeten lachen, omdat ze dat ongepast vonden zo kort na de tragische dood van de baas.

Omdat het zaterdag was, hoefden ze vandaag maar tot het middaguur te werken, en dan kwamen ze in de keuken terug om hun weekloon uitbetaald te krijgen. Dat had Nele vorige week aan oom Schilleman overgelaten, ook al omdat een eenvoudige arbeider zijn trots had en het vervelend zou vinden zijn geld door een vrouw uitbetaald te krijgen. Ze wist dat oom er op tijd zou zijn. Ze had de loonzakjes zelf al gevuld. Een goede arbeider kon tot zes gulden per week verdienen met zwingelen. Iemand die minder presteerde, kwam ongeveer aan vier gulden als weekloon. Er hielpen ook vrouwen mee, maar zij kregen nooit meer dan ongeveer twee derde uitbetaald van wat een man verdiende.

Van hun loon betaalden arbeiders doorgaans een gulden huur in de week voor hun schamele huizen, en van de rest moesten de monden van hun vaak grote gezinnen worden gevoed. Jonge kerels die nog geen eigen gezin hadden en dus ook nog niet zo veel verdienden, moesten dat geld doorgaans aan hun ouders afdragen, omdat het geld broodnodig was om de honger buiten de deur te houden.

Nele voelde zich ongemakkelijk onder de schuwe blikken van de arbeiders. Na verloop van tijd zou dat weer minder worden en zou er heus wel weer eens gelachen worden tijdens de schaft, maar nu was het tragische ongeluk nog te kort geleden en voelde niemand zich erg op zijn gemak op dergelijke momenten, ook zijzelf niet. Ze wilde niet al te verdrietig doen, want zo voelde ze zich niet. Ze wilde ook haar opluchting niet tonen, want dat zou ongepast worden gevonden. Het was allemaal nog vers en ja, ook zij was geschrokken door de plotselinge dood van Ger. Die had haar ervan doordrongen dat het waar was wat oudere mensen zeiden: het leven was onberekenbaar. De mens mocht wikken, maar uiteindelijk zou God beschikken, zoals haar eigen moeder dat vroeger altijd had gezegd.

De meid had een ketel water op het fornuis warm laten worden om de koffiekommen na de schaft meteen weer af te kunnen wassen. Nele was juist naar de mooie kamer gegaan om in het kabinet de loonzakjes nog een keer na te kijken – voor alle zekerheid, want alles moest in orde zijn – toen het rijtuig van oom Schilleman het erf op reed.

Neles hart begon van de zenuwen sneller te kloppen toen ze een onbekende gestalte naast oom in de sjees zag zitten. Ze haalde diep adem en keek snel even in de spiegel van de mooie kamer. IJdeltuit, zuchtte ze stilletjes in gedachten. Ze schikte de saaie rouwmuts die ze droeg. Kanten en sieraden waren strikt verboden, als een vrouw in zware rouw was. Ze mocht momenteel uitsluitend zwart dragen, zonder tierelantijnen en versieringen. Later, naarmate de tijd verder verstreek en het overlijden langer geleden was, werd er langzamerhand iets meer als passend beschouwd: een zwart kantje, een snoer granaten, iets van zilver. Maar dat zou nog lang duren. Ze was inmiddels al begonnen om een nieuwe, zwarte zondagse japon te naaien voor de komende zomertijd. Gelukkig had ze bij haar trouwen van haar ouders een heuse naaimachine van Singer cadeau gekregen, een machine waar ze inmiddels al heel veel plezier van had gehad. Lang niet alle vrouwen konden over zoiets duurs beschikken! Zo'n naaimachine werd echt als een luxe beschouwd.

Ze haalde diep adem, rechtte haar rug zoals ze de afgelopen dagen al zo vaak bewust en onbewust had gedaan, en liep fier en met opgeheven hoofd terug naar de grote boerenkeuken, waar moeder Los met een vroom gezicht in de Bijbel zat te lezen om de tijd te doden tot het grote moment was aangebroken. Adrie was nog onderweg om vader Los op te halen, maar die zou eerder in de weg zitten dan iets zinnigs aan de besprekingen toe kunnen voegen, vreesde Nele.

'Oom is er, moeder.'

'Ik hoorde de wielen van de sjees op het grind,' knikte deze. 'Wel, ik moet nog zien welke kerel in staat is om Ger op te volgen.'

'Niemand is daartoe in staat, moeder, alleen Bart over een jaar of tien. En tot die tijd moet hoeve Sofie blijven wat het nu is: een mooie boerderij waar met hard werken goed geld wordt verdiend.'

Rare ogen, dacht ze.

Een man met een vreemde kleur ogen – deels grijs, deels bruin – keek haar niet veel later onderzoekend aan, terwijl hij haar de hand schudde. Ze had bijna het gevoel dat haar hand in de zijne brandde en trok haar hand dus haastig terug.

'Mijnheer Van Damme,' knikte ze.

'Gewoon Van Damme. Ik draag immers een pet, geen hoed.'

Oom Schilleman stond erbij te grijnzen. Tante Lijsbeth was thuisgebleven en vond kennelijk dat ze niets met deze zaken van hoeve Sofie te maken had.

De rijzige man, die nog een aardig stukje boven de zeker ook niet klein van gestalte zijnde oom Schilleman uitstak, schoot in de lach. 'Dus u bent de jonge weduwe over wie iedereen het momenteel heeft?' Zijn blik was nieuwsgierig.

'Over haar klunzigheid zeker,' bitste moeder Los, die als laatste een hand kreeg, terwijl ze natuurlijk vond dat ze die vóór haar schoondochter had horen te krijgen.

'Integendeel, juffrouw Los. Ze wordt genoemd met respect voor haar moed en doortastendheid. De schok om op zo'n akelige manier je man te moeten verliezen, moet enorm groot zijn geweest.'

Nele kreeg een kleur en mompelde zoiets als dat het inderdaad een grote schok was geweest. Wat ook zo was, natuurlijk, als een nog jonge en gezonde man in de kracht van zijn leven zo plotseling een akelige dood stierf. Dat haar huwelijk zwaar voor haar was geweest, was blijkbaar iets wat minder werd besproken en daar kon ze alleen maar blij om zijn.

Ze gingen zitten en Nele hervond haar zelfvertrouwen.

'Door het onverwachte overlijden van mijn man, juist in de weken vlak voordat de drukte voor de boeren weer echt gaat beginnen, zouden wij gemakkelijk in de problemen kunnen komen. De arbeiders die nodig zijn om ons land te bewerken, zullen niet snel of gemakkelijk orders aannemen van een vrouw. Van mij niet, en van mijn schoonmoeder evenmin, al is zij meer dan bereid met haar inzet bij te dragen om het familiebezit in stand te houden voor mijn nu nog slechts achtjarige zoon Bart. Hij zal pas over een aantal jaren volwassen genoeg zijn om zijn vader op te kunnen volgen. Voorlopig moet hij nog naar school, en mijn man was van plan hem twee jaar extra door te laten leren na zijn twaalfde, als de meeste jongens van school komen en thuis mee moeten gaan helpen, en hem pas daarna aan het werk te laten gaan.'

'Verstandig,' vond Gijsbert van Damme rustig. 'Je oom heeft mij dat allemaal al uitgelegd.'

'Oom Schilleman is een grote steun voor ons allemaal, maar twee boerderijen... dat is veel. Hij kwam zelf met het voorstel om een bedrijfsleider aan te stellen voor de komende jaren, en hij wist ook te vertellen dat u daar misschien wel oren naar zou hebben.'

Gijsbert keek de andere man aan tafel met een glimlach aan. 'We raakten een poosje geleden met elkaar aan de praat. Toen heb ik hem verteld dat het werken op een groot havenkantoor weliswaar prettig was, en dat ik daarvan veel heb geleerd, maar dat ik de streek en mijn familie miste. Het bleek de afgelopen jaren dat ik toch meer een buitenman ben dan iemand die hele dagen achter een bureau wil zitten.'

'Daarom moest ik direct aan dat gesprek terugdenken, toen we na de eerste schok van dat verschrikkelijke ongeluk moesten nadenken over hoe het nu verder moest,' liet oom zich horen.

'Wel, ik voel er wel voor, in ieder geval voor de eerste paar jaar of zo, en als de condities juist zijn. Uiteindelijk moet ik dan toch een keuze maken. Op het bedrijf van mijn broers is er geen werk voor mij. Te veel broers. Mijn oudste broer is er de boer, dat spreekt voor zich. Een ander is getrouwd met een boerendochter en heeft de stee van zijn schoonvader over kunnen nemen. De laatste werkt als knecht bij mijn oudste broer. Zoals gezegd heb ik veel geleerd in de stad. Misschien wil ik daar in deze omgeving op een gegeven moment weer iets mee gaan doen. Maar nu wil ik dat nog niet. De landbouw wordt in deze jaren steeds interessanter. Aloude manieren om het land en de oogst te bewerken, beginnen te verdwijnen. Ook in de vlasteelt experimenteren sommige boeren al met machines voor het repelen en zwingelen, maar succesvol zijn die nog niet. Stoomdorsmachines die het handwerk of de paarden vervangen, zijn succesvoller. Ik denk dat het werk op boerderijen in de komende jaren steeds meer door machines zal worden overgenomen. Stoommachines maken een eind aan zwaar handwerk, al vinden sommige arbeiders dat niet prettig omdat ze denken dat machines hun werk overbodig zullen gaan maken en dan raken ze hun baan kwijt. Maar veranderingen zijn niet alleen van deze tijd. Denk er maar aan hoe de generatie voor ons – zoals die van u, Reedijk – moest toezien hoe de hele meekrapteelt ten onder ging na de uitvinding van kunstmatige kleurstoffen. Of hoe de Amerikaanse graancrisis invloed had op onze graanteelt. De opkomst van het goedkope katoen heeft nu al gevolgen voor de vraag naar vlas, maar toch zijn dit goede jaren voor de boeren, zeker de laatste paar jaren.'

Van al die ingewikkelde zaken had ze geen verstand, besefte Nele. Het was prettig dat er sinds tien jaar een stoomtram over het eiland reed, niet alleen voor personen die naar de stad wilden, maar vooral om goederen en vee veel gemakkelijker dan vroeger te kunnen transporteren, toen dat over slechte wegen of over water moest gebeuren. En nog maar drie jaar geleden was er in het naburige Oud-Beijerland een hele oploop ontstaan toen de allereerste auto op het eiland was gezien. Sommige rijke mensen, zoals de dokter en een enkele grote vlasboer, hadden zelfs tegenwoordig een apparaat waarmee ze met iemand konden praten die heel ergens anders was, en dat noemden ze een telefoon.

Ze knikte dus en vond Gijsbert van Damme een man van de wereld die veel meer wist dan gewone boerenmensen, zoals de bewoners van hoeve Sofie. En wat moest die hier? Had hij misschien iets te verbergen? Was er ver weg in de stad soms iets gebeurd dat de reden was dat hij zich liever verschool op het platteland? Eerst op de boerderij waar hij was opgegroeid, en nu misschien op hoeve Sofie? Ze moesten maar liever uitkijken! En ze zou er oom naar vragen, als die vreemde kerel met zijn rare ogen straks weer was vertrokken.

Oom Schilleman leek echter volkomen op zijn gemak te zijn, en dat stelde Nele eigenlijk weer meteen gerust. Daarom drukte ze die nare gedachte dat Van Damme iemand was die misschien iets te verbergen had, meteen weer naar de achtergrond.

'Het is prettig dat je snel kunt beginnen, als Nele en mijn schoonzuster het er samen over eens kunnen worden dat je de zo tragisch leeg gevallen plek voorlopig kunt invullen, Van Damme. Je weet dat het verlies van mijn neef volkomen onverwacht kwam en juist op dit moment van het jaar, nu het werk op het land binnenkort weer gaat beginnen.'

'Hoeveel vast personeel hebben jullie?'

Van Damme roerde in zijn koffie en keek monsterend van de een naar de ander. Toen Nele aan de beurt was om goed bekeken te worden, voelde ze zich knap ongemakkelijk onder die blik. Ze wist totaal niet wat ze van die kerel moest denken. En hij zou, als het doorging, nota bene op hun erf komen wonen. Ze wist niet of ze dat wel prettig vond.

Adrie kwam intussen terug met vader Los, die mompelend

ging zitten in de leunstoel die zijn vrouw zwijgend voor hem naar voren trok. De knecht verdween meteen weer, zij het niet na een onderzoekende blik op de vreemdeling te hebben geworpen.

Zodra de deur weer achter de knecht was dichtgevallen, vertelde oom dat hun paardenknecht Adrie al jaren in vaste dienst was en in het paardenknechtshuisje even verderop woonde, zoals Van Damme wel had kunnen vermoeden. Natuurlijk waren er diverse losse arbeiders die al jarenlang voor het seizoenswerk op de boerderij werkten. En wanneer nodig huurden ze nog extra mankracht in, dagloners dus.

Oom schoof zijn stoel naar achteren. 'Misschien is het een goed idee dat ik je eerst alles eens laat zien en dat je nader met Adrie kennismaakt, Van Damme. Dan kun jij erover nadenken of je er wat in ziet, en dat kunnen Nele en mijn schoonzuster ondertussen ook. Dan kunnen we over een paar dagen de knoop doorhakken. Of je doet het en dan is er voor ons een groot probleem opgelost, of we moeten op zoek naar iemand anders.'

De twee mannen verdwenen door de deur, en nog voor ze buiten waren, hoorde Nele oom Schilleman zeggen: 'Wat het loon betreft...'

Toen de deur was dichtgevallen keek ze haar schoonmoeder vragend aan. Haar schoonvader was ondertussen alweer in slaap gesukkeld en snurkte een beetje.

'Het zou een goede oplossing kunnen zijn, moeder. Ik ken hem niet en weet eerlijk gezegd niet goed wat ik van hem denken moet, maar hij maakt wel de indruk goed leiding te kunnen geven én hij is een boerenzoon. Ger heeft wat dat betreft een grote leegte achtergelaten.'

'Ik zou best...' begon moeder Los meteen, maar ze zweeg toen weer. Ze legde haar haakwerk voor zich op tafel en zuchtte diep. 'Het liefst had ikzelf hier weer mijn intrek genomen en net als vroeger leidinggegeven aan alle zaken die de boerderij betreffen. Bart,' ze knikte in de richting van haar man, 'liet zich destijds gemakkelijk sturen. Ger helaas niet, die leek daarin meer op mij.'

Nele ontdekte dat haar mond bijna openviel van die onverwachte openhartige ontboezeming, en het was een van de weinige keren dat moeder Los geen nare dingen over haar zei.

'Maar Schilleman heeft flink op me ingepraat. Ik moet inderdaad in de eerste plaats voor mijn man zorgen, die ondertussen geen schaduw meer is van de man die hij vroeger is geweest. En ik moet er ook aan denken dat de jonge Bart in de komende jaren veel moet leren, en dat kan hij niet van vrouwspersonen zoals jij en ik, en maar ten dele van Schilleman zelf. Ik ben te oud voor veel drukte en dat is Schilleman zelf inmiddels ook. Die wordt volgende maand ook alweer vijfenzestig. Er zit niet veel anders op dan dat een vreemde de komende jaren de plaats van mijn zoon inneemt, en dat vind ik moeilijk genoeg.'

Waar ze de moed vandaan haalde wist Nele niet, maar zowaar legde ze even haar eigen hand troostend over die van haar schoonmoeder heen.

'Het is moeilijk voor ons allemaal, moeder. Maar u heeft gelijk. Het belang van de boerderij, en daarmee van mijn zoon, is belangrijker dan onze eigen gevoelens. Ik hoop dat Van Damme de baan wil accepteren.'

Toen griste moeder Los haar haakwerk plotseling naar zich toe en was het onverwacht intieme moment meteen weer voorbij.

'Als hij maar niet denkt dat hij alles beter weet dan ik!'

Nele schoot in de lach. Moeder Los was weer zichzelf!

5

Peinzend staarde Nele in de verte, naar de gestalte van de lange man die over de akker liep alsof hij nooit iets anders had gedaan. De percelen waarop Gijsbert van Damme nu aan het zaaien was, waren goed bemest en geëgd.

Het voelde toch raar, dacht ze. Daar liep een andere man dan Ger, en hoe slecht haar huwelijk ook was geweest, het voelde toch niet helemaal goed dat een vreemdeling zijn akkers inzaaide.

Ze voelde de lentezon op haar gezicht branden. Ze genoot van dat gevoel, al moest ze wel een beetje oppassen. Een bruin gezicht en bruine handen vond men niet mooi, een blanke huid wel. Er verscheen een vage glimlach om haar mond. Wat een onzin! Alsof zoiets er ook maar iets toe deed!

Wat er echter wel degelijk toe deed, was het gevoel van ruimte, van geluk bijna, dat ze tegenwoordig kon voelen op een moment als dit.

Er werd niet langer de hele dag door op haar gevit. Als moeder Los dat deed, liep ze de laatste dagen gewoon bij haar weg. Binnenkort zou haar schoonmoeder echt wel gaan begrijpen dat Nele niet langer bang en onderdanig was. Zij was de boerin hier, niet haar schoonmoeder! Deze mooie boerderij zou over een paar jaar de verantwoordelijkheid worden van haar zoon. Daar mocht ze best trots op zijn. Ze hoefde ook niet langer elke avond in de bedstee bang te zijn voor de ruwe behandeling van haar man. Hij had haar maar al te vaak pijn gedaan en liet haar zelden met rust voor het slapengaan. Het was al een bevrijding op zich dat ze 's avonds gewoon in de bedstee kon stappen om te gaan slapen als ze moe was, en niet...

Ze vermande zich. Kom, ze had meer dan genoeg gemijmerd. Het was prima dat ze langzamerhand kon ontdekken wie ze was en wat ze wilde. Haar zelfvertrouwen nam feitelijk met de dag toe, en zelfs haar kinderen waren vrolijker, luidruchtiger dan vroeger, ze renden soms uitgelaten door het huis heen. Ze had hun beloofd over een hondje te zullen nadenken, iets waar ze vaak om hadden gebedeld, maar waar Ger nooit van had willen horen.

Ja, ook de kinderen hadden weleens een klap of een afranseling met de broekriem van hun vader gekregen, het favoriete middel waarmee haar man zijn dominantie over zijn gezin maar al te graag kracht had bijgezet. Zou moeder Los eigenlijk voelen hoeveel plezieriger het leven op hoeve Sofie voor iedereen in de afgelopen weken was geworden? Zelfs Mina en Keetje, de meiden, zongen tegenwoordig tijdens hun werk. Vroeger was Mina, die ongeveer van Neles leeftijd was, er altijd voor beducht dat de boer haar soms onverwacht kon betasten, in haar billen knijpen, een opmerking maakte over haar borsten, dergelijke dingen. Nele had altijd maar net gedaan alsof ze daar niets van merkte, maar ook die dingen waren bijzonder kwetsend voor haarzelf geweest. Keetje was daar gelukkig nog te jong voor geweest. Ze was immers pas dertien.

Nele lachte ineens hardop en haalde diep adem. Ze was vrij! God moest het haar maar vergeven dat ze in haar hart niet kon treuren om het verlies van haar man, al deed ze aan de buitenkant alsof, door in gezelschap van andere mensen niet al te vrolijk en spraakzaam te worden. Maar als ze eerlijk was tegenover zichzelf, kon ze daar echt niet omheen en dat wilde ze ook niet. Ze had het zwaar gehad in haar huwelijk. Het was niet geworden wat ze er als jong meisje van had gehoopt. Het was heus niet slecht om zich nu zo opgelucht te voelen! Ook al bleef het erg dat een man zo jong door een noodlottig ongeval het leven had moeten laten.

Ze keerde zich om en ging de keuken weer in, waar Keetje aan het werk was. Keetje was de dochter van hun paardenknecht Adrie, en sinds ze afgelopen augustus van school was gekomen, was ze meid geworden op de boerderij waar ook haar vader werkte. Daardoor kon ze gewoon 's nachts thuis gaan slapen.

Keetje bleek klaar te zijn met haar ochtendtaken: het schoonmaken van de haard in de mooie kamer, als daar vuur had gebrand, het opschudden van de dekens in de bedsteden en het stoffen van de kamers. Omdat dit een dinsdag was, wachtte daarna de strijk, maar de zware strijkbouten waren nog wat te veel voor het meisje. Dat kon ze nog niet alleen. Vaak werden kinderen – want ze scheelde uiteindelijk maar drie jaar met Sofie – al afgebeuld op veel te jonge leeftijd. Natuurlijk, als er straks werk was op het land, moest Keetje ook daar gewoon mee gaan helpen met wieden, met vlasplukken, met repelen en alles wat er op een vlasboerderij zoals hoeve Sofie kwam kijken en waar veel handen bij nodig waren. Nu zat het meisje in de keuken de aardappelen te schillen voor Mina, die zelf bezig was om spek uit te bakken op het fornuis.

Het rook lekker in de keuken. Mina was al eenendertig, had nog steeds geen vrijer gevonden en was dus ongetrouwd gebleven, maar scheen dat ook niet erg te missen. Ze was al jaren bij hen in dienst en had haar eigen meidenkamertje op zolder, zodat ze niet in de bedstee in de keuken hoefde te slapen. Nu Sofie en Bart groter waren geworden, sliepen ze elk in hun eigen bedstee daar. De keuken was niettemin haar dagelijkse domein. Schoonhouden en eten koken, 's morgens en 's avonds samen met Keetje de koeien melken, op maandag wassen en op donderdag de meubelen in de was zetten. Karnen deden ze alleen nog voor eigen gebruik, dan hadden ze boter en karnemelk voor de karnemelkse pap waar Ger altijd veel van had gehouden, en overgebleven aardappelen werden hier op het eiland graag opgegeten met karnemelk over de aardappelen heen gegoten. Aardappelen met karnemelk waren voor sommige mensen een echte lekkernij.

Als straks de aardappelen waren gepoot en er bleven van die kleine krielaardappeltjes over, dan werden die schoongeboend en in reuzel gebakken. Dan heetten die aardappeltjes seuters, en dat was vooral een gewoonte hier in hun dorp 's-Gravendeel. Dat droeg dan ook wel de bijnaam Seuterdorp, net zoals Oud-Beijerland door zijn ligging aan de rivier het Spui in de volksmond wel het Spuidorp werd genoemd, en de dorpen aan de westkant van het eiland – zoals Goudswaard – vanwege de rijke oogsten al in het verre verleden de Korendijk werden genoemd.

Mina zong een vrolijk deuntje, en terwijl Nele doorliep naar de mooie kamer en in het kabinet keek in de boeken die ze sinds de dood van haar man samen met oom Schilleman bijhield, voelde ze zich helemaal warm worden vanbinnen.

Dit was geluk, bedacht ze even later toen ze op een stoel zat en naar de cijfers in de boeken keek. Ze genoot ervan dat er niet langer angst in huis heerste, maar dat ze in grote harmonie en onderling vertrouwen met elkaar omgingen. Ze ontdekte ook dat het prettig was om precies te weten wat er op hoeve Sofie gebeurde, dat ze precies wist wat er aan geld binnenkwam en er weer uit ging, dat ze wist wat het personeel verdiende. En dat ze zelf iets kon kopen zonder daarvoor geld aan haar man te hoeven vragen, die iets wat zij wilde kopen meestal niet nodig vond en haar dan het geld weigerde. Ze had met oom samen besloten dat Adrie voortaan beter beloond moest worden voor het vele werk dat hij altijd trouw deed, omdat zijn loon onder Ger wel erg karig was geweest, al had de man zelf er nooit over geklaagd. Maar ze herinnerde zich ineens hoe blij Adrie ruim een halfjaar geleden was geweest dat Keetje mocht komen dienen, zodat het meisje ook een paar grijpstuivers kon gaan verdienen. Die kon hij in zijn huishouden maar al te goed gebruiken.

Er waren veel boeren die hun arbeiders een zo laag mogelijk loon betaalden. Armoede kwam in hun dorp veel voor onder het arbeidersvolk, dat wist Nele maar al te goed. Maar zelf dacht ze dat als arbeiders tevreden waren en hun maag gevuld was, ze dan meer en beter konden werken dan wanneer ze aldoor honger hadden of bang waren om ziek thuis te blijven, omdat ze dan ook niet te eten hadden. Het was fijn dat oom alles met haar samen deed. Hij had nog maar drie dagen geleden zelfs gezegd dat hij uiteindelijk ook al een oude man was en dat zijn dagen misschien eveneens geteld waren. Dat wist je immers nooit. Zij moest alles weten als dat mocht gebeuren, zodat ze de nodige kennis later aan haar zoon kon overdragen. Ze stond er zelf van te kijken dat ze het betrekkelijk eenvoudig vond om alles te begrijpen. Doorgaans vonden mannen hun vrouwen daar te dom voor. Maar ze was zeker niet dom, al was ze regelmatig thuisgehouden uit school als het werk daarom vroeg. Maar het was prettig, zonder meer. Onder Ger had ze nooit geweten waar ze aan toe was. Hoe zuinig ze ook omsprong met het huishoudgeld, hij mopperde altijd dat ze te veel geld uitgaf, dat hijzelf met hard werken zuur had verdiend. Maar goed, geld bleek er toch genoeg te zijn. Als een boer met zijn portefeuille in zijn binnenzak liep, werd dat uiteindelijk niet voor niets een boerentiet genoemd, vanwege de uitstulping!

Moeder Los stond ineens in de kamer, en Neles roze dromen waren op slag voorbij toen ze de uitdrukking op het gezicht van de oudere vrouw zag. Ze kende haar schoonmoeder immers maar al te goed! De ontevreden trek om haar mond was sprak boekdelen.

'Waarom was je gisteravond zo onvriendelijk tegen Stoffel Hokke, wil je me dat eens uitleggen?' klonk het nors.

Even was Nele stomverbaasd. 'Waarom ik onvriendelijk tegen hem was? Moeder, de man liep hier 's avonds onverwacht naar binnen en schoof aan voor de koffie alsof hij een van onze beste vrienden was! Ik was stomverbaasd en inderdaad, ik kon de man wel naar buiten kijken! Want hij was niet een van Gers vrienden en hij heeft hier helemaal niets te zoeken.'

'Je begrijpt het niet, Nele. Je bent weduwe, nog jong, en alleen. Je hebt weer een man nodig.'

Zelden in haar leven was ze zo met stomheid geslagen geweest, drong het een seconde later tot Nele door. Toen – ze kon het niet helpen – schoot ze daverend in de lach.

'Moeder! Ger is nog maar een paar weken dood en staat u me

nu al te vertellen dat ik zo snel mogelijk een andere man moet zoeken?'

Bijna meteen drong de kille waarheid tot haar door. Moeder Los hoopte dat inderdaad, want dan zou Nele van de boerderij vertrekken en kon haar schoonmoeder alsnog haar gang gaan en de boerderij overnemen, zoals ze steeds had gewild.

Toen betrok Neles gezicht weer. 'Stoffel Hokke is zeker al vijftig geweest en heeft zes kinderen, waarvan er één niet helemaal goed bij zijn hoofd is. Toe nu, moeder, ik hoop dat ik me vergis als ik denk dat u had gedacht dat ik me vereerd moest voelen met een dergelijk bezoek?'

'Dat zou je inderdaad sieren. Hokke heeft een vrouw nodig, en een vrouw zoals jij kan niet zonder man. Dus ik zou maar niet al te onvriendelijk doen tegen zo iemand. Hij zit er bovendien warmpjes bij en heeft een grote boerderij.'

'Moeder!' Nu was Nele ronduit geschokt. 'Aan dergelijke dingen denk ik eenvoudig niet. Nu is er onze boerderij en die is later voor Bart. Ger ligt nog maar net onder de grond! U kunt dit toch niet serieus menen?'

'Je bent blijkbaar nog dommer dan Ger altijd vreesde,' mokte de oudere vrouw voor ze terugliep naar de keuken. Daar kon ze het niet laten Mina te vertellen dat ze het spek niet goed uitbakte en dat ze een bord extra op tafel moest zetten omdat ze zelf mee wilde eten, nu er hier natuurlijk weer van alles misging. Ze foeterde op Keetje omdat er vlekken op haar schort zaten.

Nele zuchtte maar eens. Haar gevoel van geluk was voorlopig van korte duur geweest. Stel je voor, dacht moeder werkelijk dat ze zo wanhopig was dat ze zich halsoverkop zou storten in een huwelijk met een zure man als Stoffel Hokke? Die kon dan misschien over een goed gevulde beurs beschikken, maar hij had ook een hok vol lastige kinderen en had al bij meerdere weduwen in het dorp tevergeefs avances gemaakt.

Nele schudde verbijsterd haar hoofd. Was hij soms bang te laat te zijn, als zich anderen zouden melden die wat in haar zagen?

Het was voor het eerst dat het tot Nele doordrong dat er mogelijk op een gegeven moment een dag zou komen dat ze aan hertrouwen zou willen denken. Maar nee, nu nog lang niet! Ze huiverde als ze eraan dacht het gevoel van vrijheid dat ze een halfuur geleden nog had gevoeld, nu alweer op te geven, zodat een andere man de baas over haar kon gaan spelen en haar kon koeioneren zoals Ger dat had gedaan.

Nee, dan was het veel beter om alleen te blijven en mogelijk ooit, in de verre toekomst als Bart later getrouwd was en zelf vrouw en kinderen had, in het dorp of zelfs in het zomerhuis te gaan wonen en nog steeds te kunnen doen en laten wat ze zelf het beste vond.

Gijsbert van Dammes ogen keken haar ronduit spottend aan. Tenminste, zo dacht ze de blik in zijn ogen te moeten interpreteren. In de afgelopen weken was iedereen een beetje aan elkaar gewend geraakt. Het was een man die blijkbaar graag zijn eigen gang ging, maar hij deed nooit iets wat in strijd was met de zaken die hij met oom Schilleman besprak.

Nele had er inmiddels een gewoonte van gemaakt om goed te luisteren tijdens die besprekingen. Ze vond dat ze zodoende goed op de hoogte bleef van wat zich op de boerderij afspeelde en bovendien dat ze er veel van opstak, en dat kon nooit kwaad. Moeder Los wilde er het liefst ook steeds bij zitten, maar ze werd noch door haar zwager, noch door haar schoondochter altijd op de hoogte gesteld van het tijdstip van die besprekingen, en stilzwijgend wist Nele dat oom het wel zo rustig vond, zonder haar vele onderbrekingen en voorstellen die op eisen leken als het op beslissingen nemen aankwam.

Van Damme had een paar weken geleden zijn intrek genomen in het nog altijd wat haveloze zomerhuis, waar slechts de noodzakelijkste reparaties waren uitgevoerd, maar hij klaagde daar nooit over. Hij at tussen de middag de warme maaltijd met hen mee, maar hij had een tweedehands fornuis op de kop getikt waarop hij in zijn eigen keuken zelf iets warm kon maken als hij dat wilde. En dus zette hij daar koffie voor zichzelf, hij kookte volgens de meid zelfs pap voor zijn ontbijt en smeerde er 's avonds zijn boterhammen. Op zaterdag vertrok hij halverwege de middag met zijn fiets naar de boerderij van zijn oudste broer in Mookhoek. Soms kwam hij 's avonds terug en zagen ze hem de hele zondag niet, ook niet in de kerk, maar daar durfde Nele niet goed iets van te zeggen, en ze durfde hem ook op die zondagen niet te storen. Andere keren kwam hij pas op maandagmorgen in alle vroegte terug op diezelfde fiets. Fietsen werd nog altijd als waaghalzerij gezien, maar het moest worden gezegd: een mens kon zich er snel mee verplaatsen van het ene dorp naar het andere, veel sneller dan lopend. Wie een fiets had, was niet afhankelijk meer van paard-en-wagen of rijtuig, dure bezittingen en dus een weelde die voor de meeste mensen immers niet was weggelegd. De stoomtram reed niet naar alle dorpen op het eiland.

'Aan het dromen, juffrouw Los?' klonk het met duidelijke ironie in zijn stem.

Ze schrok op uit haar gepeins. 'Natuurlijk niet. Ik heb niets om van te dromen, behalve dat mijn kinderen later een goede boer en boerin zullen worden.'

'Aha! Uw dochter moet dus op voorhand al met een boer trouwen, als ze daar de leeftijd voor heeft?'

'Ik vroeg of je maandag begint met wieden, dus we kunnen de levens van mijn kinderen wel buiten beschouwing laten,' was haar korzelig klinkende reactie.

Hij had het lef om in de lach te schieten. Nee, deze Gijsbert van Damme was zeker geen man die kruiperig deed tegen zijn werkgevers! Hij was een man die wist wat hij wilde, die het gewoon scheen te vinden dat er naar hem geluisterd werd, zonder op een vervelende manier op zijn strepen te gaan staan, maar ook zonder de neerbuigende bazigheid die Ger had gebezigd. Een heel enkele keer vergeleek ze beide mannen in stilte, maar dat was natuurlijk compleet zinloos. Volgens Ger en de meeste andere mannen waren mannen nu eenmaal het hoofd van het gezin en daarom alleen al hadden ze in hun ogen het recht om over alles te beslissen. Op zich waren de meeste mensen het daar natuurlijk wel mee eens, maar soms was het lastig geweest toen Ger nog leefde.

'We gaan maandag dus wieden. Welke arbeiders komen meehelpen?'

Ze noemde de namen van hun vaste seizoenarbeiders. 'Adrie kan hen zaterdagmorgen wel gaan waarschuwen,' voegde ze eraan toe. 'Ze weten wat er van hen verwacht wordt. Enkelen nemen hun vrouw en oudere kinderen mee. Keetje en Mina kunnen ook meehelpen.'

'Wieden is zwaar werk, zeker bij vlas. Ik hoef u niet te vertellen dat daarbij, zeker nu het gewas nog jong is, goed opgelet moet worden, juffrouw Los, omdat het vlas maar al te gemakkelijk tijdens het werk kapot wordt getrapt.'

'Ze weten het en weten ook dat ze daarvoor hun oude sloffen en soms zelfs gewoon hun sokken mee moeten nemen.' Schoenen en zeker klompen trapten te veel van het kostbare gewas kapot. Zelfs als het regende en de sloffen doornat werden of de modder er aan alle kanten aan vastplakte, droegen de wieders geen schoeisel tijdens dat werk. Ze waren gewoon om met elkaar in kleine groepjes te werken. 'Wat denk je eigenlijk wel?' ging ze verder. 'Dat ik een dom vrouwtje ben, dat nergens verstand van heeft?' Het kwam er bits uit, maar hij trok het zich niet aan en moest zelfs glimlachen.

'Nee, juffrouw Los, dat denk ik in het geheel niet! Complimenten komen niet gemakkelijk over mijn lippen, maar u houdt zich kranig na het tragische verlies van uw man en ik weet wat er speelt. Knap hoor, hoe u de oude juffrouw Los ertoe hebt gekregen dat ze zich niet meer overal mee bemoeit! Want ik heb best beseft hoe ze haar best heeft gedaan alle touwtjes in handen te krijgen en u op een zijspoor te zetten.'

Ze schokschouderde onwillig, want hoewel het als compliment bedoeld was, voelde ze zich beslist ongemakkelijk bij dergelijke woorden. 'Het vlas groeit goed. We hebben geluk met het weer. Regelmatig regen, niet te veel en niet te weinig.'

'Precies. Ik begrijp de hint: bemoei je liever met je eigen zaken. Maar niet alleen het vlas groeit goed, dat doet het onkruid eveneens.'

'Maandagmorgen beginnen dus.'

'U verwacht toch niet dat ik zelf op mijn oude sloffen of sokken met een groepje wieders mee ga helpen?' vroeg hij en even dacht ze een onzekere blik in zijn ogen te zien.

'Dat deed mijn man ook niet. Hij hield toezicht, en dat is ook wat oom Schilleman en ik van jou verwachten, Van Damme.'

'Wel, als het vlas zo hard blijft groeien, is het wieden snel gedaan.'

Als het vlas eenmaal enkele handbreedten hoog was, kreeg onkruid nauwelijks nog kans om te ontkiemen en was het wieden weer voorbij. Maar tot die tijd was het heel belangrijk om het land met dit gewas goed schoon te houden. En zelfs daarna was het altijd maar afwachten of het vlas niet te maken kreeg met ziekten of ongedierte. Berucht voor het gewas waren trips, de onweersbeestjes dus. Als het broeierig warm weer was en er onweer dreigde, waren trips heel talrijk, en als ze in de vlasplant vielen, aten ze er de fijne knopjes uit. De boeren zeiden dan dat er kwade koppen in het vlas kwamen, en als er veel tripsen waren en dit dus op grote schaal gebeurde, kon dat een ramp betekenen voor een vlasboer, want zonder die kopjes groeiden de planten niet verder.

'Ja, laten we daar maar op hopen. Ga je het weekeinde nog naar je broers toe?'

'Op zaterdag een paar uur, maar ik kom na het avondeten weer terug. Op zondag ben ik hier, maar ik loop niemand voor de voeten.'

'Dat weten we, maar de mensen praten erover dat ze je nooit

in de kerk zien.'

'Heb je daar last van, Nele?'

Ze deed net of ze niet merkte dat hij het formele u liet varen. 'Soms wel, want de mensen kijken ons er wel op aan. Bovendien begrijp ik het niet. God is er voor ons allemaal. Eens gaan we immers naar Hem toe.'

Hij glimlachte. 'Misschien hebben we het daar nog weleens over, maar niet op een vrijdagmiddag als er volop werk aan de winkel is.' Fluitend liep hij naar Adrie toe.

Ze wist niet waarom ze zich nu zo onzeker voelde. Ze had als vanzelf 'jij' tegen Gijsbert van Damme gezegd, al was dat misschien niet zo verstandig. Men noemde familie of vrienden bij de voornaam, maar niet het personeel. Ja, de meiden als Keetje en Mina, maar de mannen sprak je aan bij hun achternaam, en heel oude vrouwen noemden zelfs hun eigen man zo en niet bij zijn voornaam. Dat was vroeger gebruikelijk geweest, wist ze, maar nu was die oude gewoonte bijna verdwenen. Ach, waar dacht ze nu allemaal aan? Ze moest...

Terwijl ze zich omdraaide, keek ze recht in de ogen van Stoffel Hokke.

Nele schrok enorm. Hoelang stond die man daar eigenlijk al?

6

Ze vermande zich meteen. Haar stem klonk weer neutraal als altijd, hoopte ze. Ze keek de man recht aan, al vermoedde ze wel dat hij de afwerende blik in haar ogen kon zien.

'Dag Hokke. Had je een boodschap voor ons of misschien voor mijn oom?'

De ogen van Stoffel Hokke priemden in haar gezicht en gleden toen veelbetekenend naar beneden langs haar lichaam. Hij zei er in eerste instantie geen woord bij, maar de vlammen sloegen Nele plotseling uit van onbehagen en verlegenheid. Ger had soms ook zo gekeken en dan wist ze wel wat haar in de bedstee te wachten stond.

Ze draaide zich geërgerd om en wilde weglopen. Vanuit haar ooghoek zag ze echter hoe moeder Los met een tevreden blik in haar ogen en een glimlach om haar mond stond toe te kijken. Het was niet zo moeilijk te raden wat haar schoonmoeder dacht. Hoe eerder Nele vertrok omdat ze ging hertrouwen, hoe liever het haar zou zijn! Dan kon ze alsnog haar wil doen gelden op hoeve Sofie en dan kon zelfs haar zwager Schilleman er niet langer een stokje voor steken.

'Wacht nu, Nele, je weet nog niet eens waarvoor ik gekomen ben,' begon Hokke eindelijk.

Nele rechtte haar rug. Ze was inmiddels naar moeder Los gelopen en was al vlak bij haar. Ze keerde zich langzaam om. 'Het is juffrouw Los en u, Hokke. Ik ben me er niet van bewust dat dit ooit anders is geweest.'

De man lachte een onaangenaam lachje. Zijn priemende ogen deden Nele huiveren van afkeer.

'Je bent een mooie vrouw, een goede boerin, maar zeer zeker niet geschikt om mannenwerk te doen of een boerderij te besturen. Ook dat is namelijk mannenwerk. En het is ook niet nodig. Er zijn mannen die graag met jou getrouwd willen zijn en ik...'

Neles ogen werden groot van schrik en opkomende boosheid. 'Mijn man is nog maar kortgeleden overleden en geen haar op mijn hoofd denkt al aan hertrouwen. Dus bespaar uzelf de moeite hierover te spreken, Hokke. Goedemiddag!' De keukendeur viel even later met een harde klap achter haar dicht.

Ze plensde wat water in haar gezicht, omdat ze nog steeds het gevoel had dat er rode vlekken op haar wangen brandden van boosheid en ook van schaamte. Ze was nog niet veel rustiger geworden toen de keukendeur opnieuw opengiug en moeder Los met een ontevreden trek om haar mond naar binnen stapte.

'Dat was niet erg slim van je, Nele. Hokke zou heel graag wat vriendelijker worden ontvangen.'

'Dat kan ik me voorstellen, ja,' was het antwoord dat feller uit haar mond kwam dan wanneer ze niet zo boos was geweest. 'Weduwnaar met een huis vol kinderen, waarvan er één niet goed bij zijn hoofd is! Hij zit al een paar jaar bitter om een huisvrouw verlegen, zodat hij dan zijn dure huishoudster de laan uit kan sturen. De man staat immers bekend als zeer gierig. Op zijn boerderij is het overal smerig, en geen enkele vrouw heeft er de afgelopen jaren wat voor gevoeld om daar haar intrek te gaan nemen.'

'Maar jij...! Ger wist ook wel dat je niet voor veel dingen deugde, dus jij zou blij moeten zijn dat er tenminste nog íémand is die een beetje aandacht aan je wil besteden.'

Ze zag op dat moment achter de rug van haar schoonmoeder de keukendeur weer voorzichtig opengaan. Van Damme stak even zijn hoofd om de deur, maar trok zich meteen weer terug. De deur sloot echter niet meer helemaal achter hem. Was dat opzet of slordigheid? Hij zou het toch niet in zijn hersens halen om ordinair als de eerste de beste keukenmeid achter de deur te blijven staan om het gesprek af te luisteren?

De oudere vrouw had er blijkbaar niets van gemerkt en ging ondertussen onverdroten verder. 'Je deugt nu eenmaal nergens voor, Nele. Ik heb Ger nog zo gewaarschuwd toen hij met jou wilde trouwen in plaats van met Aleid Visser. Dat was niet verstandig van hem, maar hij zette helaas zijn zin door en heeft dat later maar al te vaak moeten betreuren. Het is voor jou overduidelijk te zwaar om mijn kleinzoon naar behoren op te voeden. Hij en Sofie horen hier, zij zijn mijn kleinkinderen. Maar jij wordt door niemand gemist als je het verstandige besluit neemt om te vertrekken naar de boerderij van Hokke. Als ik jou was, zou ik dus maar snel wat vriendelijker tegen de man doen. Als je hem niet neemt, wil niemand anders je nog en dan? Mij en later je kinderen tot last blijven? Door niemand gewild?'

Moeder Los schudde haar hoofd en Nele wist niet waar ze nu het meest last van had: van ingehouden woede of van verdriet om de pijnlijke woorden die over haar werden uitgesproken. Ze beende de keuken weer uit omdat ze dat venijn eenvoudig niet langer aan wilde horen! Ze was zeker niet van plan om nog langer naar de beledigende woorden van haar schoonmoeder te blijven luisteren. Daarvoor voelde ze zich toch echt te goed! Ze zou naar oom Schilleman en tante Lijsbeth gaan, want ze moest eenvoudig met iemand praten over wat er net was gebeurd. Ze zou zeker stampij gaan maken en als moeder zo doorging, was die op hoeve Sofie binnenkort niet langer welkom! Ze zou...

Ineens werd ze in een ijzeren greep genomen. Verbijsterd keek ze naar de hand die als een schroef om haar pols klemde, en prompt keek ze pal in de vreemde grijze ogen van haar bedrijfsleider.

'Hierheen,' klonk het kort op een toon die geen tegenspraak duldde.

Een paar tellen later stond ze in het zomerhuis met de deur achter haar potdicht. Ze was zo verbaasd dat ze zweeg, al was ze inmiddels bijna in tranen. Hij duwde haar op haar schouders, zodat ze op een oude stoel belandde.

'Ik heb gehoord wat je schoonmoeder allemaal zei.'

Ze knikte. 'Ik vermoedde al dat je de brutaliteit had om aan de keukendeur te blijven luisteren! Je bent nog erger dan Mina en die is al zo nieuwsgierig als...'

'Waarom laat je je dit eigenlijk welgevallen, Nele?'

'Wat kan ik anders, Van Damme? Zo doet ze al tegen me vanaf het allereerste begin. Ze had een andere vrouw op het oog voor haar zoon. Aleid Visser, familie van de grote vlasboeren. Maar het is zo ongeveer de enige keer in zijn leven geweest dat Ger niet naar zijn moeder luisterde, en dat heb ik geweten. Zoals ze al zei en zoals jij wel gehoord zult hebben, daar kreeg hij al snel bittere spijt van.'

'Deed hij dan ook zo lelijk tegen jou?'

Ze voelde zich zo overrompeld dat ze alleen maar knikte, en toen kwamen de tranen, al was dat wel het laatste wat ze wilde. Ze beet op haar lip. Ze moest haar tranen inhouden, dacht ze nog, ze kon niet gaan zitten uithuilen bij Gijsbert van Damme! Hij was uiteindelijk niet meer dan een veredelde knecht, ingehuurd om op de boerderij de gestorven boer te vervangen tot haar zoon oud genoeg zou zijn om de touwtjes zelf in handen te nemen.

Hij stak haar een schone en rimpelloos gestreken zakdoek toe. 'Snuit je neus en dep je ogen. Gun die heks niet het genoegen te zien dat haar woorden je van streek hebben gemaakt. Als dit niet de eerste keer was, zou je eraan gewend moeten zijn en ondertussen een dikke huid hebben ontwikkeld om je dergelijke beledigingen niet aan te trekken. Wat was de aanleiding voor haar tirade?'

Nele schokschouderde en even keek ze in zijn ogen. Meteen keek ze betrapt van hem weg. Die ogen stonden onderzoekend en leken bijna dwars door haar heen te kunnen kijken.

'Heb je dan niet alles gezien? Hokke kwam langs.'

'Hokke? Hokke?'

'Een boer met zijn boerderij verderop buiten het dorp. Weduwnaar, al bijna een oude man, maar nog met zes kinderen thuis, waarvan er één achterlijk wordt genoemd. Het is er een bende. Volgens mij wordt hij aangemoedigd door mijn schoonmoeder.' Ze hapte ineens naar adem toen ze aan die brutale blik terugdacht en bloosde dat het een aard had.

Het ontging hem blijkbaar niet. 'Deed hij je soms een oneerbaar voorstel?'

Ze durfde hem niet aan te kijken. 'Hij zinspeelde op een huwelijk, maar die blik...' Ze rilde. 'Die was niet mis te verstaan.'

'Wel, ik ben ook een kerel en heb mijn ogen zeker niet in mijn zak, dus ik begrijp het wel,' klonk het droog.

'Ik weet niet of...' Ze stond al overeind om met een paar reuzenschreden de deur van zijn woonruimte uit te benen.

Maar hij was haar voor. 'En je schoonmoeder ziet je zeker maar al te graag vertrekken?'

'Ja.'

'Stuur haar weg, als ze zo doet. Jij bent hier de baas, niet zij.'

'Daar denkt ze zelf heel anders over. Ze zal niet luisteren, niet naar mij.'

Toen legde hij zijn handen op haar schouders, zodat ze hem wel aan moest kijken, of ze wilde of niet.

'Luister, Nele. Ze kraamt een heleboel onzin uit en dat weten we allebei. Je bent ongelooflijk flink, en met hulp van je oom – en ook een beetje van mij, laten we eerlijk zijn – red je het hier prima. Luister niet naar je schoonmoeder en stuur haar gewoon weg, als ze zo lelijk tegen je doet. Daar heeft ze het recht niet toe en jij hoeft dat zeker niet van haar te accepteren. Dat deed je man dus ook?'

Ze bloosde nog maar eens, maar durfde niet te knikken.

'Dan zul je beslist niet erg gelukkig zijn geweest in je huwelijk, en geloof me, ik weet precies hoe dat voelt.'

Eindelijk keek ze hem echt aan. 'Maar... Ben jij getrouwd, of...?'

Hij deed de keukendeur weer open en duwde haar het zonlicht weer in. 'Niet nu. Nele, denk erom: je bent zeer de moeite waard. Vergeet dat nooit meer.'

Moeder Los zat met een tevreden trek op haar gezicht aan de keukentafel te haken en Nele moest al haar moed verzamelen om weer naar binnen te gaan. Mina knikte vriendelijk en tegelijkertijd wat schichtig.

'We eten straks de eerste sla met spekjes erdoor en een eitje erbij. De juffrouw zegt dat ze mee wil eten en dat haar buurvrouw voor uw schoonvader zorgt.'

'Vandaag niet, Mina.' Nele voelde ineens een nieuwe kracht door zich heen stromen. Ze rechtte haar rug. De woorden van Gijsbert van Damme stonden als het ware in haar geheugen gegrift.

'Vandaag kunt u niet blijven, moeder, maar zodra u uw verontschuldigingen heeft aangeboden voor de dingen die u een halfuurtje geleden tegen mij heeft gezegd, bent u weer welkom op de boerderij. Maar nu vertrekt u, en als u daar een helpende hand bij nodig heeft, zal ik dat aan de bedrijfsleider overlaten. Die zal u graag helpen bij uw vertrek.'

Even leek haar schoonmoeder met stomheid geslagen. Toen vlamden haar ogen boosaardig op. 'En wat als het uitlekt in het dorp dat jij ongegeneerd Hokke hebt staan aanmoedigen met blikken waar elke fatsoenlijke vrouw zich voor zou schamen? Wat dan?'

'Dan zou iedereen meteen beseffen dat de kwaadspreekster sprookjes staat te verzinnen. U bent te ver gegaan, moeder Los. Dit is een plek waar voortaan vrede heerst, en waar we met elkaar om willen gaan met wederzijds respect. Het is beter als u nu zonder verdere problemen te maken vertrekt.'

Moeder Los aarzelde.

De keukendeur ging opnieuw open. Maar het was niet de bedrijfsleider die binnenstapte, maar oom Schilleman, die overrompeld van de ene vrouw naar de andere keek. Mina had een veilig heenkomen gezocht in de koeienstal, scheen het.

'Mag ik vragen wat hier aan de hand is?' vroeg oom met een strakke klank in zijn stem.

'Zij... zij... Ze zegt dat ik hier niet langer welkom ben! Maar als er hier iemand moet vertrekken, dan...'

‘Hoho, Alie, ga zitten en zwijg.’

Oom Schilleman sloeg met zijn vlakke hand op de tafel. De borden rinkelden, want Mina had de tafel al gedekt. Elk moment kon het personeel de grote woonkeuken van de boerderij binnenkomen voor het warme middagmaal.

Nele merkte dat ze inmiddels stond te trillen op haar benen.

‘Zo.’ Oom moest zichtbaar moeite doen om kalm te blijven. ‘En waarom heeft ze dat gezegd, denk je, Alie?’

Nele had zich op een stoel laten zakken en door haar tranen heen – die ze het liefst wilde verbergen, maar wat niet lukte – keek ze naar het verontwaardigde gezicht van de vrouw die al jaren haar schoonmoeder was, met wie ze nooit een goede en vertrouwelijke band had gekregen en die daarnet zulke wrede woorden tegen haar had geuit.

‘We hadden een meningsverschil over de mogelijkheid dat Nele in de toekomst aan hertrouwen zal gaan denken. Dat is alles.’

Oom keek Nele aan. ‘Is dat zo?’

‘Hokke kwam langs en gaf op een nogal vervelende manier te kennen dat ik wel blij mocht zijn als hij met mij zou willen trouwen. Iets dergelijks. Ik vind het een afschuwelijke man, maar moeder schijnt te denken dat ik mijn handen dicht mag knijpen van geluk omdat hij belangstelling toont, en ze ziet mij overduidelijk het liefst zo snel mogelijk vertrekken en dan nog wel met achterlating van mijn kinderen. Ze wil hen zelf opvoeden.’ Nu stroomden de tranen vrijelijk.

Ze hoorden stemmengemompel achter de keukendeur. Oom Schilleman hoorde het ook en stond op.

‘Vijf minuten, alsjeblieft. Wij moeten even over iets praten en zijn daar bijna klaar mee,’ zei hij tegen Mina, Keetje en waarschijnlijk ook Van Damme. Daarna sloot hij de deur weer zorgvuldig.

‘Wel, de eerste vraag is helder: denk je serieus aan hertrouwen?’

'Oom! Ger is nog maar net twee maanden geleden gestorven!'

'Je huwelijk was niet gelukkig. Laten we daar geen doekjes om winden. Dus het zou kunnen, dat er een ander in je leven kwam, met wie je het aan zou durven en met wie je een beter leven hoopt te krijgen.'

Nele kon het zich met de beste wil van de wereld niet voorstellen, want ze had mannen niet erg hoog meer zitten na haar zware huwelijk. Maar dit was niet het moment om daarop in te gaan.

'Nee oom, dat is niet het geval. Het is meer dat moeder mij het liefst zo snel mogelijk ziet vertrekken.'

'Is dat zo, Alie?'

'Natuurlijk niet, maar je moet toch toegeven, Schilleman, Nele is tweeëndertig en ze mag blij zijn als Hokke haar wil hebben.'

'Nu, dat ben ik niet met je eens en ik ken je, schoonzus! Je zult je mening niet al te subtiel hebben gegeven. Wel, we zullen hoe dan ook de strijdbijl moeten begraven en met elkaar verder moeten, dus ik eet een hapje mee, en doe jij dat ook maar, Alie.'

Het gezicht van moeder Los kreeg zowaar een triomfantelijke uitdrukking.

'Dan praten we daarna in de mooie kamer verder,' zei oom Schilleman, 'als iedereen weer aan het werk is gegaan. Lijsbeth zal wel begrijpen dat er iets besproken moet worden, en na het eten stuur ik Keetje wel naar haar toe om te vragen of ze ook wil komen. Met elkaar gaan we dit voor eens en voor altijd oplossen.'

Oom stond op, trok zich niets meer van beide vrouwen aan, maar uitte slechts een waarschuwende blik. 'Vuile was houden we maar liever binnen, denk erom. We gaan nu eten.'

Aan nieuwsgierige blikken ontbrak het niet. Nele staarde verslagen naar haar in haar schoot gevouwen handen. Ze had een brok in haar keel gekregen en voelde zich van streek. Het lukte haar niet om meer te eten dan een paar hapjes. Ze voelde de onderzoekende ogen van de bedrijfsleider op zich gericht, maar hij zei niets. De anderen zeiden evenmin iets. Alleen moeder Los at zichtbaar met smaak en oom Schillemans gezicht verried niet wat hij voelde of dacht. Hij was het die na het eten de Bijbel pakte voor het gebruikelijke lezen, maar hij ging niet verder bij de geborduurde boekenlegger die aangaf waar ze de vorige maaltijd met lezen gebleven waren, maar las de Bergrede voor. Ze beseften allemaal dat hij dat niet zomaar deed omdat hij dat stuk in de Bijbel zo mooi vond.

Mina stond na het danken op om de tafel af te ruimen. Ze zou de afwas doen met Keetje en dan weer naar het land vertrekken om te helpen met wieden. Maar Keetje werd eerst om tante Lijsbeth gestuurd.

Zelfs Gijsbert van Damme zweeg in alle talen, hoewel zijn ogen heel even die van Nele vingen en hij haar een bemoedigende blik toewierp. Maar ze zei niets, ze stond op en liep naar buiten om met niets ziende ogen over het land te staren.

'Is het nog steeds hommeles?' vroeg hij prompt een paar minuten later vlak achter haar.

'Ja. Oom Schilleman doet zijn best de kwestie te sussen, maar ik kan er niet meer tegen. En ze zit triomfantelijk te kijken omdat ze er nog steeds is, hoewel ik had gezegd dat ze moest vertrekken. Ze gaat gewoon niet, al was het alleen maar om mij te sarren. Ik wil...' Toen vermande ze zich weer. 'Het spijt me. We houden dit liever binnenskamers, zoals je wel zult begrijpen. Je bent op het land nodig, Van Damme.'

'Op dit soort persoonlijke momenten mag je wel Gijsbert zeggen, hoor. Ik zeg soms ook Nele tegen jou, al zou ik natuurlijk u moeten zeggen en juffrouw Los.'

'Nu niet. Ik kan er even niets meer bij hebben.'

'Dat spijt me. Maar als het je te veel wordt, ben je opnieuw welkom in het zomerhuis om je hart te luchten.'

'Dat doe ik liever niet.'

'Ik wilde het desondanks gezegd hebben. Ik heb zelf meer dan genoeg ellende meegemaakt in mijn leven om te begrijpen dat een mens soms werkelijk niet meer weet wat hij of zij moet doen.'

Weg was hij, en haar gedachten waren afgeleid van haar eigen zorgen. Wat zou hij dan wel meegemaakt hebben?

Ze haalde diep adem. De zon scheen, het werd warmer. Het voorjaar was aangebroken, de natuur was mooi en vol beloften. Gek, dat ze dat juist op dit moment zo duidelijk moest voelen! De kinderen waren op school. Vooral Sofie kon heel goed leren, wat eigenlijk door velen volkomen onbelangrijk werd gevonden voor een meisje, want de enige bestemming voor jonge vrouwen was immers een huwelijk en daarna een gezin voor zichzelf. Alleen overgeschoten oude vrijsters werden lerares of soms verpleegster, maar liever naaister, en zelden vonden ze werk op een kantoor, hoewel dat toch een heel enkele keer voorkwam.

Nele merkte dat ze zich toch iets beter was gaan voelen. Tegen wil en dank moest ze toegeven dat de woorden van Gijsbert van Damme haar steun gaven, en als ze dat wilde, was er tenminste iemand in de buurt die welwillend naar haar zou luisteren.

Tante Lijsbeth kwam geagiteerd aanlopen. De boerderij van oom en tante lag niet ver van hoeve Sofie vandaan.

'Wat is er allemaal aan de hand?' vroeg tante met een geschrokken uitdrukking op haar gezicht.

'Moeder en ik... We hadden een zeer onvriendelijke woordenwisseling, tante Lijsbeth,' zei Nele bedrukt, terwijl ze zich zelfs schuldig begon te voelen. Met een zucht volgde ze even later de ander naar binnen.

Mina en Keetje waren intussen begonnen met de afwas.

'Oom is met moeder in de mooie kamer,' verduidelijkte Nele.

Even later zaten ze daar ongemakkelijk met z'n vieren en was het oom die overduidelijk naar de juiste woorden moest zoeken.

'We weten allemaal dat de verstandhouding tussen jou, Alie, en Nele een moeizame is. Dat is nooit anders geweest, maar jullie zijn nu eenmaal tot elkaar veroordeeld. Jij was hier vroeger de boerin, Nele is dat nu en ze is de weduwe van Ger.'

'Die maar wat een spijt had van dat ondoordachte huwelijk en...'

'Jaja, dat is oude koek. We weten inmiddels wel dat jij geen gelegenheid voorbij zult laten gaan om de in jouw ogen vele tekortkomingen van je schoondochter te benadrukken. En dat is nu juist jouw fout. Je kunt er ook voor kiezen te beseffen dat ook Nele niet volmaakt is, net zomin als jij en ik dat zijn, want geen mens is nu eenmaal volmaakt. Maar ze is de moeder van Sofie en Bart en een goede moeder ook. Ze is een goede boerin, ik heb daar niets op aan te merken en nooit gehad ook. Maar jullie karakters botsen en daar hoeven we geen doekjes om te winden. De directe aanleiding tot dit onaangename voorval lijkt dus te zijn dat Hokke duidelijk heeft gemaakt in de toekomst wel aan een huwelijk met Nele te willen denken, wat zij niet wil en jij maar al te graag. Is dat een goede samenvatting van het punt waar het nu eigenlijk om gaat?'

Nele knikte met iets meer zelfvertrouwen. 'Ja oom, precies. En daarna zeiden we allebei dingen die we beter niet hadden kunnen zeggen,' gaf ze aangeslagen toe. 'Ik net zo goed als moeder.'

'Dank je, Nele. En jij, Alie? Geef je ook toe dat je misschien wat minder duidelijk aan had kunnen geven dat jij je schoondochter het liefst zo snel mogelijk aan de arm van een andere man van de boerderij ziet vertrekken?'

'Dat lijkt me duidelijk,' klonk het nors. 'Ze mag immers blij zijn als iemand haar nog wil hebben.'

'Daar denk ik heel anders over. Hokke!' zuchtte haar zuster en het leek wel of ze nauwelijks een gegrinnik leek te kunnen onderdrukken.

'Wel, Nele ziet niets in hem, dus daarmee is de kwestie van de baan,' vond oom.

'Helemaal niet en...'

'Alie!' viel haar zwager haar resoluut in de rede. 'Vergeet niet dat jullie het bij moeten leggen, willen jullie niet in het hele dorp over de tong gaan vanwege een ruzie hier op hoeve Sofie. Is dat dan wat je wilt? Dat jij hier omwille van de lieve vrede niet meer kunt komen en je kleinkinderen tussen de middag niet langer bij jou of je buurvrouw kunnen eten? Dat voor hen een andere oplossing moet worden gezocht, omdat jullie elkaar niet meer verdragen? Het is voor hen immers te ver lopen om tussen de middag thuis te komen eten?'

'Nee, natuurlijk niet, maar zij is uiteindelijk alleen maar aangetrouwd en...'

'Dat was jij in jouw jonge jaren ook, toen je na je huwelijk met Bart op de boerderij kwam.'

'Schilleman!'

'Goed.' Oom stond op. 'We gaan niet welles-nietes tegen elkaar blijven zeggen. Het is afgelopen, punt uit! Als jij Nele lelijke woorden toevoegt, kan zij tegen je zeggen dat je hier een poosje niet welkom bent. Begrijpelijk. Probeer het dus liever voor je te houden en probeer elkaar te vinden en te respecteren in wat jullie bindt: de herinnering aan Ger, de belangen van de kinderen en de boerderij. En denk erom, ik wil niet dat morgen het hele dorp over niets anders praat dan over een grote ruzie hier. Begrepen, Nele?'

'Ja oom.' Ze kreeg een kleur van schaamte, maar ze begreep wel dat oom gelijk had.

'Jij ook, Alie?'

Een diepe zucht was het enige.

'Alie?'

'Goed, goed. Maar ik heb gelijk.'

'Als je dat denkt, voorzie ik nog veel meer gedoe en dat wil ik niet hebben, begrepen? Als er weer ruzie komt, is het maar beter dat jullie elkaar voortaan zo min mogelijk voor de voeten lopen en je weet wat dat betekent. Aanvaard nu maar dat Nele de boerin is zoals jij dat vroeger was. Dat jouw tijd voorbij is en dat we allemaal best begrijpen dat de zorg om Bart steeds zwaarder wordt, en erg op je drukt. Wie past er op dit moment trouwens op hem?'

Moeder Los haalde slechts onverschillig haar schouders op. 'De deur is op slot. Hij kan niet naar buiten, want als hij gaat wandelen, weet hij niet meer hoe hij thuis moet komen. Ik zie wel wat hij doet. Hopelijk is hij in slaap gevallen. Tegenwoordig loopt hij halve nachten te spoken.'

'En dan houdt hij jou uit je slaap?'

'Ja.'

'Dus ben je overdag moe en prikkelbaar?'

Weer dat onwillige schokschouderen.

'Wel Nele, dat helpt ons om iets meer begrip te tonen. Alie is oververmoeid en de zorg voor je schoonvader wordt haar te zwaar. Dat helpt ons om haar soms onmogelijke humeur beter te verdragen. Nietwaar?'

Nele kon slechts knikken, maar stelde even later opgelucht vast hoe oom Schilleman en tante Lijsbeth haar schoonmoeder meenamen om haar terug te brengen naar haar huis in het dorp.

7

Een brief voor Gijsbert van Damme?

Nele stond ermee in haar handen. Mooi handschrift, maar van wie? Kom, ze moest zich dergelijke vragen niet eens stellen!

Van Damme was op het land bezig. Het wieden was voorbij, de aardappelen waren gepoot en groeiden goed, de andere gewassen stonden er ook veelbelovend bij. Het was inmiddels juni geworden. Het vlas bloeide. Elk bloemetje bloeide maar een enkele dag, maar er waren veel bloemen. Zij hadden vlas met blauwe bloemen. Deze soort gaf minder vlas dan de planten die bloeiden met witte bloemen, maar het vlaslint van witbloeiend vlas was harder en schraler dan dat van blauwbloeiend vlas.

De hooibouw was inmiddels begonnen. Arbeiders sneden het hoge gras met de zeis af en lieten het drogen op oppers, zodat het in de winter de koeien tot voer kon dienen.

Nele aarzelde wat ze met de enveloppe moest doen, maar besloot toen dat ze die waarschijnlijk het best in het zomerhuis kon leggen, en hem zeggen dat ze daar een brief voor hem had neergelegd.

In het zomerhuis keek ze oplettend om zich heen. Ze kwam hier maar een heel enkele keer en alleen als hij haar dat vroeg, want ze had hier uiteindelijk niets te zoeken. Het was er als altijd keurig opgeruimd. Zelfs de dekens in de bedstee waren keurig rechtgetrokken. Zou Mina dat gedaan hebben zonder dat ze daar expliciet opdracht toe had gekregen? Ze zou het haar straks eens vragen.

Terug in huis was Mina al bezig met het schillen van de aardappelen en Keetje was nog bezig om de mooie kamer te zwabberen.

'We hebben het er eigenlijk nooit over gehad, maar houd jij ook het zomerhuis schoon?' vroeg Nele schijnbaar langs haar neus weg aan de meid.

Mina keek verbaasd op. 'Nee. Moet dat dan? Dat doe ik graag, hoor. Van Damme is een geschikte kerel. Iedereen mag hem graag en zijn gezag wordt als vanzelfsprekend geaccepteerd.'

'Ik zal het met hem overleggen,' antwoordde Nele wat ongemakkelijk. 'En zijn was?'

Mina schoot in de lach. 'Ja, die doe ik wel. Ik betrapte hem er op een dag op dat hij zelf sokken en ondergoed gewassen had en op een rek rond zijn fornuis te drogen had gehangen. Vindt u dat misschien niet goed, juffrouw Los?'

'Ik vind het prima, maak je maar geen zorgen.'

Nele trof Van Damme kort voor het middagmaal op het erf.

'Er ligt een brief in het zomerhuis,' begon ze en ze voelde zich opgelaten.

Zijn grijze ogen met die eigenaardige bruine vlekken erin keken haar onderzoekend aan.

Nele hakkelde ineens verlegen. 'Ik wist niet zeker of ik die gewoon naast je bord moest leggen of... Ik bedoel, gewone mensen zoals jij en ik krijgen nu eenmaal maar zelden post.'

'Het is goed.' Zijn gezicht verried niets.

'En nog iets. Het viel me op dat het altijd zo netjes is in het zomerhuis. Mina zegt echter dat zij er nooit iets hoeft te doen.'

'Ik doe het zelf wel, geen probleem. Ik ben al zo lang alleen dat ik desnoods zelf voor huisvrouw kan spelen.'

'Maar... Dat is nogal ongebruikelijk voor een man.'

Hij schokschouderde, maar zijn ogen stonden ineens nogal ongemakkelijk. 'Ik ben al jaren getrouwd, nieuwsgierig Aagje, maar ik zie mijn vrouw slechts uiterst zelden.'

'Maar...'

'Je begrijpt er natuurlijk niets van. Dat doet er ook niet toe. Misschien vertel ik je het hele verhaal nog eens en misschien ook niet. Ik heb geen behoefte aan praatjes.'

Waarom was ze nu zo van haar stuk gebracht door deze mededeling? Dat wilde ze niet, maar ze kon het niet ontkennen. Even staarde ze hem na, toen hij in het zomerhuis verdween, maar toen schrok ze op. Haar plicht riep! Dat was het leven van een boerin en moeder. Er waren altijd plichten, van de vroege morgen tot de late avond.

En ze had meer zorgen! Sofie en Bart gingen in het dorp naar school en waren gewend om bij hun grootmoeder tussen de middag over te blijven en daar warm te eten. Helemaal naar huis lopen, eten en weer teruglopen naar school, daarvoor was nu eenmaal te weinig tijd. En als moeder Los er niet was – ze bleef immers geregeld op de boerderij eten – dan regelde ze dat met haar buurvrouw Jannie van der Pligt. Dan aten de kinderen en hun opa daar, en als het huisje op slot moest omdat de oude man buiten een gevaar was voor zichzelf, dan had de buurvrouw een sleutel om zo nu en dan bij hem te gaan kijken en hem wat te drinken te geven. Alleen hem verschonen deed ze nooit, dat vond ze ongepast en ook vies. Een oude man stonk enorm, als hij zijn plas of behoefte in zijn broek had gedaan, dus dat begreep Nele wel. Dan moest hij daarmee rond blijven lopen tot zijn vrouw weer terug was gekomen.

De spanning tussen haarzelf en haar schoonmoeder was nog steeds niet helemaal voorbij, en van Sofie begreep Nele dat haar schoonmoeder ook tegenover de kinderen vaak onaardige opmerkingen over hun moeder maakte. Dat kon natuurlijk zo niet doorgaan, maar ze wist ook niet hoe ze dat nu weer op moest zien te lossen.

Onder het eten zei Gijsbert niets over de ontvangen brief, maar de blik in zijn ogen was afwezig en Nele had de indruk dat de inhoud ervan hem behoorlijk had doen schrikken. Maar hij ging zwijgend en hooguit iets meer kortaf dan ze van hem gewend waren weer aan het werk.

Het waren een paar mooie voorjaarsdagen. Ze droeg vanzelfsprekend nog steeds zware rouw: zwarte kleding, geen sieraden, haar krullenmuts van de klederdracht zonder een enkel kantje. Dat alles hoorde bij de rouwdracht die nog maandenlang elke frivoliteit als een sieraad verbood. Na verloop van tijd zou de rouw gaandeweg lichter worden, en nog weer later kon ze eens iets aantrekken wat grijs of paars van kleur was. Maar dan moest ze toch zeker een jaar verder zijn en moest er geen ander overlijden in de familie zijn. Soms kwamen mensen jarenlang niet uit de rouw. Als het warm was, zoals het die dag was geweest, verlangde ze hevig naar de dag dat ze de rouw af kon leggen en weer lichtere kleren kon gaan dragen.

Nele had vanzelfsprekend al eerder rouwkleding moeten dragen toen haar ouders overleden waren. Haar twee broers boerden nu op de ouderlijke boerderij in Maasdam, waar ze was geboren en opgegroeid en waar ze had gewoond tot ze met Ger Los ging trouwen. Ze had feitelijk nooit een hechte band met haar twee veel oudere broers gehad. Zelf was ze het nakomertje van het gezin geweest, geboren toen haar moeder al bijna veertig was. Ze zagen elkaar niet vaak, nadat zij met Ger was getrouwd en van Maasdam naar 's-Gravendeel was vertrokken. Ze had hen het laatst bij de begrafenis van haar man gezien, maar dat ze het nu zo moeilijk had op de boerderij met haar onmogelijke schoonmoeder, dat wisten haar broers niet eens en als ze er wel van wisten, zouden ze niet veel meer doen dan er hun schouders over ophalen, wist Nele. Het maakte soms dat ze zich eenzamer voelde dan ze zich ooit voor had kunnen stellen.

Het leek wel of die zwarte kleding haar stemming al even somber maakte. Diezelfde avond voelde ze zich nog steeds ongedurig. Van de bedrijfsleider was niets te zien, hoewel hij gewoonlijk 's avonds graag een rondje rond de boerderij maakte om te kijken of alles in orde was. Zou ze even bij hem binnen gaan kijken en vragen of alles goed met hem was? Ze aarzelde, maar na de koffie stond ze rusteloos op en maakte ze zelf een rondje.

Het moest worden gezegd: onder Ger was het soms rommelig geweest in en om de schuren en stallen, maar onder Gijsbert van Damme was alles netjes en opgeruimd.

Net toen ze aarzelde of ze bij het zomerhuis zou durven aankloppen, keek ze recht in de ogen van die afschuwelijke man die blijkbaar nog steeds vond dat ze vereerd moest zijn met zijn aandacht.

'Dag Hokke,' zei ze afwerend, terwijl ze opnieuw haar schrik verborg over zijn onverwachte opduiken nu ze alleen was. 'Ik heb u niet aan horen komen.'

'Ik ben een eindje gaan wandelen. Het is mooi weer en dan is het goed om eens te kijken hoe het land erbij staat. Bij mij en bij jullie.'

'Dan had u beter naar oom Schilleman kunnen lopen.'

Ze voelde zich slecht op haar gemak, want vanuit huis was ze niet te zien. Het liep al tegen halfnegen. Over een halfuur zou Mina gaan slapen. Keetje was zoals gebruikelijk al kort voor het avondbrood naar haar ouders in het paardenknechtshuisje gegaan. Voor boeren waren de zomerdagen altijd heel erg lang en nu het juni was, was het 's morgens al heel vroeg licht. Bij het krieken van de dag en het kraaien van de haan was het dan opstaan geblazen, en dat lukte niet als een mens te laat naar bed ging.

Nele klemde haar kiezen op elkaar en liep zonder verdere aandacht aan de onaangename man te besteden in de richting van het woonhuis. Ze voelde zich opgelucht toen ze de klink van de keukendeur in haar hand had. Daar bleef ze staan, vast van plan hem ten koste van alles buiten de deur te houden.

'U kunt maar beter weer gaan. Ik heb net gekeken of alles in orde is en de meid gaat zich zo meteen al klaarmaken voor de nacht.'

Hij deed onverhoeds twee grote stappen in haar richting.

'Het zullen voor jou wel eenzame nachten zijn, zo alleen.'

Ze schrok zich een hoedje, beet hem nog net: 'U moet gaan' toe, stapte toen zo snel als ze kon naar binnen en vergrendelde meteen de deur achter zich. Ze hoorde hem morrelen en roepen dat ze open moest doen omdat hij nog geen koffie had gehad en graag een kop wilde, maar ze deed net of ze het niet hoorde. Na een paar minuten hield het rammelen op.

Ze bloosde toen Mina haar vragend aankeek.

'Geloof het of niet,' zuchtte Nele openhartiger dan ze gewoonlijk geweest zou zijn, maar nu nog nauwelijks bekomen van de schrik. 'Hokke heeft beslist een bord voor zijn kop! Hij zit achter me aan, maar ik moet hem niet en heb dat al eerder laten blijken.'

Mina aarzelde. 'In het dorp gaan al een paar dagen geruchten over hem en u, juffrouw Los. Volgens de paardenknecht van Hokke is het zeker dat jullie gaan trouwen, zodra de rouwtijd dat toelaat.'

Nele huiverde van afschuw. 'Geen denken aan! Maar ik schrik er wel van dat dergelijke praatjes de ronde doen.'

'Er gaan altijd praatjes over mooie jonge meisjes en aantrekkelijke jonge weduwen, moet u maar denken.'

'Maar dit gerucht heeft geen enkele grond. Geen idee hoe dat in vredesnaam heeft kunnen ontstaan.'

Mina schokschouderde. 'Hokke zelf helpt ze misschien de wereld in om zijn kansen te vergroten.'

'Nu, kansen heeft hij niet en dat weet hij.'

Mina schoot in de lach. 'Wel, als hij achter mij aan zou zitten – wat hij natuurlijk niet doet, want ik ben maar een berooide dienstmeid – dan zou ik ook heel hard weglopen. Vieze vent, en dan nog al die kinderen en die smerige boerderij!'

'Mijn idee,' zuchtte Nele. Ze ging zitten, maar voelde zich nog steeds onrustig en ongedurig. Toen ze voor het raam ging staan, zag ze Hokke in de verte over de dijk lopen, terug naar zijn eigen stee.

Mina keek veelbetekenend op de klok. Bijna bedtijd.

'Ik loop nog even naar buiten, want ik ben geschrokken en kan nog met geen mogelijkheid in slaap komen,' verzuchtte Nele.

Mina knikte en ging naar boven om zich op haar zolderkamertje klaar te gaan maken voor de nacht.

Eerst ging Nele, zoals ze gewoon was te doen voor het slapengaan, naar het huisje in de tuin om te plassen. Daarna werd ze echter als door een magneet naar het zomerhuis getrokken. Was het nieuwsgierigheid? Wat boeide haar toch zo in de man die haar bedrijfsleider was, en die kennelijk geheimen had waar ze tot vandaag nauwelijks iets van had geweten?

Ze had op de deur geklopt voor ze het kon tegenhouden, en bijna meteen stapte ze naar binnen. Gijsbert van Damme zat aan de tafel en rookte een pijp. Voor zich had hij de krant liggen die Nele gisteren van oom Schilleman had gekregen en die ze altijd aan hem doorgaf, waarna de krant ten slotte in repen zou worden gescheurd om te gebruiken in het huisje.

'Is er iets?' Zijn stem klonk rustig en hij keek haar vragend aan.

'Dat wilde ik eigenlijk aan jou vragen.' Haar stem klonk ongemakkelijk en zo voelde ze zich ook.

Hij haalde zijn schouders op. 'Volgens mij ben je alleen maar nieuwsgierig omdat ik een brief heb gekregen.'

Ze ging ongevraagd tegenover hem zitten. 'Ja, een beetje wel,' reageerde ze meer eerlijk dan dat het onbehoorlijk was om haar nieuwsgierigheid te tonen. 'Maar ik ben net ontzettend geschrokken. Ik liep op het erf en ineens stond Hokke weer achter me. Nou vraag ik je! De man weet van geen ophouden en ik voelde me eerlijk gezegd een beetje bedreigd. Ik wist dan ook niet hoe snel ik weer binnen moest komen. Hij heeft daarna nog minutenlang aan de keukendeur staan rammelen voor hij eindelijk wegging. Erger nog, Mina vertelde me daarnet dat hij geruchten door het dorp stuurt.'

'Dat je met hem gaat trouwen zodra de rouw dat toelaat.'

'Jij hebt het dus ook gehoord!'

'Ieder zinnig mens weet best dat het onzin is. Trek het je niet aan.'

'Dat is gemakkelijker gezegd dan gedaan,' zuchtte ze. 'Geruchten zijn meestal hardnekkig en kunnen veel schade aanrichten in een klein dorp als dit.'

'Daar weet ik alles van.'

Het viel haar op dat zijn gezicht somber stond. Hoewel het haar natuurlijk niets aanging, overwon ze zichzelf. 'Heb je slecht nieuws gekregen?'

'Ja.' Er viel een ongemakkelijke stilte.

Na een poosje hakkelde ze: 'Je zei vanmorgen dat je getrouwd was. Dat had oom al wel verteld, maar dat weet volgens mij bijna niemand.'

'Slechts enkelen, dat is waar. Het is al zo lang geleden dat Ingetje weg moest.'

'Moest? Ik begrijp het niet.'

'Mijn vrouw werd krankzinnig na de zware bevalling van onze zoon. Het kind leefde minder dan een dag. Ingetje had zelf bijna het leven gelaten. De dokter zei dat het vaker voorkwam dat vrouwen na een bevalling de weg kwijtraakten, en dat het na een tijdje wel beter zou gaan. Maar dat gebeurde niet, en bij nader informeren bleek dat dit in haar familie vaker voor was gekomen. Op een gegeven moment werd het zo erg dat ze niet langer thuis kon blijven. Ze zit al jaren in het dolhuis in de stad.'

Nele kreeg een kleur als vuur en wist niet wat ze moest zeggen. 'Dat spijt me voor je,' hakkelde ze ten slotte toen ze haar spraak weer teruggevonden had.

Hij knikte gelaten. 'Ik ben dus al jaren alleen, en van een krankzinnige vrouw kun je niet scheiden. Ik heb geen vrouw, geen kinderen, maar ik ben ook niet vrij om alsnog een ander gezin te stichten. In de brief stond dat ze kans had gezien om weg te lopen en dat ze geprobeerd had zich voor de paardentram te werpen. Ze heeft al meerdere keren geprobeerd om een einde aan haar leven te maken. Dat noemen ze dan een ongelukje, want om zoiets een poging tot zelfmoord benoemen, dat doet men alleen als het echt niet anders kan.'

Nele was enorm geschrokken en ze raakte nog meer van streek toen ze zelfs een traan in zijn ooghoek zag verschijnen.

'Wat vreselijk,' hakkelde ze, omdat ze doodeenvoudig niet wist wat ze anders moest zeggen.

'Ik werk hard om te vergeten. Jij hebt je man verloren en dat is ook erg. Maar je bent wel vrij om na verloop van tijd zelf te beslissen wat je met de rest van je leven wilt doen, Nele, maar ik...' Hij schoot overduidelijk vol, en zonder het te beseffen legde ze haar hand over de zijne en kneep ze erin, terwijl ze wachtte tot hij zijn tranen weg had kunnen slikken en zichzelf weer onder controle had.

Het werd al schemerig binnen, maar ze had er geen idee van hoe laat het inmiddels was geworden.

'Dank je, Nele.'

'Het spijt me voor je, Van Damme,' hakkelde ze. 'Ik weet gewoon niet wat ik kan zeggen om je te troosten.'

'Er is geen troost in een geval als het mijne. Zou je me een plezier willen doen?'

'Als ik kan, altijd.'

'Noem me zo nu en dan Gijsbert. Niemand noemt me bijna meer bij mijn voornaam, behalve dan mijn broers als ik daar ben. Wat het huwelijk betreft weten ze me helaas maar al te goed de les te lezen, en daarover zitten ze vol schijnheilige praatjes over Gods wil en dergelijke.'

'Kom je daarom zo weinig in de kerk?'

'Hoe kan ik God nu rechtvaardig vinden? Ingetje lijdt aan het leven en dat is verschrikkelijk, want toen we trouwden was ze een mooie en vooral vrolijke meid, al was ze erg humeurig als het een beetje tegenzat. Maar ik lijd ook. Ik ben aan handen en voeten gebonden en mag niets doen om op een andere manier nog wat geluk te vinden. Geen vrouw, geen kinderen. Hard werken is het enige wat is overgebleven. Hard werken om zo veel mogelijk te vergeten en om de kosten op te brengen die haar verzorging nu eenmaal met zich meebrengt.'

Ze wist nog steeds niet wat ze moest zeggen.

Uiteindelijk keek hij haar aan. 'Ga maar. Dank je dat je naar me wilde luisteren, Nele, maar je kunt alles maar beter zo snel mogelijk weer vergeten.'

'Ik zal er met niemand over praten,' beloofde ze zonder aarzelen. 'En als jij nog eens je hart uit wilt storten, dan wil ik altijd luisteren.'

Hij knikte. 'Ga nu maar.'

'Kun je slapen?' aarzelde ze nog.

'Nee, maar dat geeft niet. Dat komt wel vaker voor. Welterusten jij.'

'Ik weet ook niet of ik de slaap wel vatten kan, maar ik moet het proberen.'

Hij knikte. 'Het wordt morgen een drukke dag. We zitten midden in de hooibouw en binnenkort kan het vlas worden geplukt.'

Ze knikte en stond op. 'Welterusten... Gijsbert.'

In bed lag ze nog lange tijd naar de zoldering van de bedstee te staren, wetend dat hij net als zij klaarwakker was.

8

Het vlas begon heel voorzichtig geel te kleuren en zo nu en dan begon het wat blad te verliezen. Daarmee was de tijd rijp dat het geplukt werd. De tweede week van juli was net begonnen. Afhankelijk van het weer viel de pluktijd van de vlasplant tussen de laatste dagen van juni en half juli. De planten waren inmiddels ruim zeventig centimeter hoog gegroeid.

De juiste tijd bepalen voor het plukken van het vlas luisterde erg nauw. Als het vlas te vroeg werd geplukt, dan was het lint – het eindproduct waar het om ging – nog niet voldoende gegroeid. Was het vlas te rijp geworden en te veel afgestorven, dan rootte het veel moeilijker en was het vlas met het zwingelen moeilijk schoon te krijgen, en dat gaf dan weer problemen. Roten en zwingelen waren latere bewerkingen van de vlasplant, voor het eindproduct – het vlaslint – werd verkregen, wat dan klaar was om van de boerderij naar de spinnerijen te gaan. Linnen was veel duurder dan katoen, maar wel hoger van kwaliteit. In de afgelopen jaren was er veel concurrentie gekomen van katoen. Katoenplanten werden vooral in Amerika geteeld en het katoen werd dan per schip naar andere landen verscheept.

Het vlasplukken gebeurde met de hand. Dat was heel zwaar werk en gaf veel drukte op de boerderijen, ook op hoeve Sofie. Gijsbert van Damme kwam die zondag naar oom Schilleman lopen om te overleggen of ze de volgende dag zouden beginnen. Hij wilde blijkbaar die verantwoordelijke beslissing als bedrijfsleider niet zonder overleg nemen.

'Moeten we nu op zondag over het werk praten?' mopperde moeder Los, als altijd er kennelijk een genoegen in scheppend als er het een of ander was waarop ze kon mopperen. Vader Los was na de lange kerkdienst en het genoten borreltje in zijn vroegere leunstoel in de grote boerenkeuken van hoeve Sofie in slaap gesukkeld, en snurkte hoorbaar met zijn kin op de borst.

'Het is wel de tijd,' knikte oom Schilleman. 'Als ik vanmiddag naar de tweede dienst ga, zal ik zo veel mogelijk vaste arbeiders die elk jaar bij ons helpen plukken en daar hun geld mee verdienen, op de hoogte stellen, zij waarschuwen elkaar dan wel verder. Dan kunnen we inderdaad morgen gaan beginnen.'

De hele vlaspluk moest liefst binnen drie, uiterlijk binnen vier weken gedaan zijn. Niet alleen om de kwaliteit van het latere linnen zelf, maar daarna waren de granen als tarwe voor brood, haver voor de paarden en de havermout en gerst om bier en jenever van te brouwen, ook rijp voor de oogst. In de zomertijd kon elke gezonde arbeider die wilde werken, wel werk krijgen. In de wintertijd was dat immers lang niet altijd het geval, zeker nu boeren begonnen te experimenteren met machines, zoals dorsmachines die soms op stoom werkten en soms op paardenkracht. Maar meestal werd het dorsen nog ouderwets met mankracht en de dorsvlegel gedaan.

En zo gebeurde het. Op de maandagmorgen na de eerste schaft zag het op hoeve Sofie zwart van het werkvolk. Verschillende arbeiders hadden hun vrouwen meegebracht, want dat leverde weer een extra centje op dat ze maar al te goed konden gebruiken. Oudere kinderen kwamen eveneens vaak met hun ouders mee, ook al waren zij sinds tien jaar leerplichtig. Fabrieksarbeid voor kinderen was al sinds 1874 verboden, na het aannemen van het kinderwetje van Van Houten, maar voor landarbeid mochten kinderen tot tien jaar geleden, in het jaar 1900, nog van school thuisgehouden worden. Ondanks die wetgeving werd daar nog steeds niet al te nauw naar gekeken en jongens van tien, elf jaar vonden zichzelf doorgaans stoer als ze mee mochten gaan naar het land om zelf geld te verdienen.

Een van de vrouwen had haar zuigeling meegenomen en er in een kruiwagen een bedje voor gemaakt van stro en een dekentje. Welgestelde dames reden hun kleintjes de laatste jaren rond in een speciale kinderwagen, maar voor een gewone vrouw uit het volk was een dergelijke luxe niet weggelegd en een kruiwagen voldeed ook prima. Het kleintje zou gewoon in de buurt van de moeder worden neergezet, er zou voor worden gezorgd dat het in de schaduw lag en als het nodig was, ging de moeder het kind voeden. Uiteraard uit het zicht van de arbeiders, want een ontblote borst tonen, zelfs als je een kind voedde, werd als onzedelijk en ongehoord beschouwd.

Gijsbert floot een vrolijk deuntje en Nele hoorde dat met een glimlach aan. Na hun gesprek in het zomerhuis van drie weken geleden deed hij net alsof het nooit had plaatsgevonden, en ze besefte dat ze maar beter hetzelfde kon doen. Maar ze dacht er nog wel regelmatig aan terug, en dan voelde ze zich een beetje in de war. Wat natuurlijk onzin was!

Er was vanmorgen dauw geweest. Men moest dus wachten met plukken tot het vlas weer opgedroogd was. De plukkers vonden dat doorgaans vervelend, want vlasplukken was tariefwerk en als het vlas nog vochtig was en ze nog niet met het werk konden beginnen, verdienden ze ook niets.

Vlas moest met een enkele ruk uit de grond getrokken worden, niet recht omhoog, maar met een zijwaartse beweging langs de grond. Op die manier werd de wortel daarbij gebroken. De plukker of plukster pakte een handvol vast, trok dat uit de grond, sloeg er vaak mee op zijn dijbeen om kluitjes aarde die in de wortels zaten eruit te slaan, en na een paar keer trekken had men – zoals men dat noemde – 'handvollen' vlas gekregen. De vlasplukkers legden die handvollen dan kruiselings over elkaar op de grond, de kruising vlak bij de zaadbollen. Vijfmaal een handvol vlas heette een 'schrank'.

Het was heel zwaar werk dat men eenvoudigweg niet een hele dag kon volhouden, daarom waren er geregeld onderbrekingen. Gijsbert van Damme plukte zelf mee als voorman, dat waardeerden de arbeiders duidelijk. Een voorman was een plukker die aangaf op welke momenten er geplukt moest worden en op welke momenten er gerust werd. In het begin van de dag werkte men drie kwartier voor een stop, later op de dag, als de arbeiders steeds vermoeider werden, kwamen de stoppen korter op elkaar.

Nele keek toe en slenterde na een poosje achter de arbeiders aan naar de akker waarop werd gewerkt, met moeder Los op haar hielen. Die hield nu eenmaal nog steeds het liefst alles goed in de gaten.

'Ik hoop dat er niet te veel distels en riet tussen de planten staan,' mompelde Nele zo vriendelijk als ze maar kon tegen haar schoonmoeder.

'Aan riet kun je inderdaad je handen lelijk openhalen,' knikte de oudere vrouw. Alsof er de beste verstandhouding tussen hen heerste, keken ze samen toe.

'En aan distels kun je je gemeen prikken,' knikte haar schoondochter.

Vroeger thuis had Nele ook elk jaar mee moeten helpen met plukken, en moeder Los had weleens verteld dat zij dat vroeger ook had moeten doen, maar dat vader Los het niet meer wilde hebben toen ze eenmaal met hem was getrouwd. Het werd immers als een luxe beschouwd als een vrouw dergelijk zwaar werk niet hoefde te verrichten.

'Stop es op' was de gebruikelijke term waarmee de voorman een rustpauze aankondigde. Dan werden ruggen gestrekt, een slok koude thee gedronken en sommigen gingen er even bij zitten. Vooral voor oudere mannen was het werk zwaar, maar wie niet werkte had ook niet te eten, dus kwam het geregeld voor dat mannen na een lange dag vlasplukken zo ongeveer naar huis strompelden van de spierpijn, anders kon je het niet noemen. Ze waren dan meteen na het eten zo stijf geworden dat ze met veel hulp van hun vrouw in de bedstee moesten zien te komen voor de broodnodige nachtrust.

Zodra de rustpauze weer voorbij was, riep de voorman het gebruikelijke 'Ga je gang maar'. In dit geval werd dat geroepen door de bedrijfsleider, die meewerkte omdat hij niet als een boer zoals Hokke met zijn duimen achter zijn bretels toekeek hoe de anderen het werk deden waar hij zichzelf dan te goed voor voelde.

'Kom,' zuchtte Nele tegen haar schoonmoeder. 'Wij kunnen hier niet veel doen en het voelt niet fijn om toe te kijken nu de anderen zo hard moeten werken. Wij gaan koffie maken en delen die tijdens de volgende stop uit.'

'Dat is verspilling. Ze hebben thee bij zich!'

'Ja moeder, maar een kop warme koffie met suiker en melk en een plak koek erbij zullen ze zeker waarderen.'

'Je hoeft personeel ook niet nodeloos te verwennen,' vond haar schoonmoeder op haar gebruikelijke norse toon, terwijl Nele binnen het petroleumstel wat hoger liet branden waar al een ketel met warm water op stond te zingen. Koffie, suiker en melk werden zoals altijd meteen in de koffieketel gedaan zodra het water kookte.

Moeder Los vulde een rieten mand met oude kommen.

'Personeel dat zich gewaardeerd voelt, werkt harder en dat verdient zich dus vanzelf terug,' ging Nele verder, zoals ze dat vroeger van haar moeder had geleerd. 'Dat is iets anders dan hen verwennen.' Hoewel dat voor de suiker natuurlijk wel gold. Suiker was immers duur. In veel arbeidersgezinnen kregen ze alleen suiker in de koffie in het eerste kopje na de zondagse kerkdienst en moesten ze het alle andere keren zonder suiker doen.

'Jij ook altijd!' De bijbehorende blik van moeder Los zei voldoende. Er lag als altijd afkeuring in, zag Nele, maar ze had immers besloten zich daar niets meer van aan te trekken?

'Het is een warme dag aan het worden, moeder. Ik hoop maar dat de arbeiders voldoende drinken hebben meegenomen.' Op dergelijke dagen kon een man die hard werkte gemakkelijk vier liter koude thee aan, en soms hadden ze wel twintig boterhammen bij zich in de stikkezak.

Toen ze even later met de mand kommen en de in een theedoek geknoopte koffieketel naar het land liep, gevolgd door de nog steeds nors kijkende moeder Los die koek verstrekken maar geldverspilling vond, besefte Nele dat ze zich blij voelde vanbinnen. Zoals zo vaak stelde ze vast haar man geen moment te hebben gemist, te genieten van de vrijheid om samen met oom beslissingen te nemen waar het de boerderij betrof die haar zoon later zou erven, en blij te zijn met de hulp van Gijsbert van Damme, die Ger verving sinds hij er niet meer was.

Gijsbert. Ze voelde zich licht vanbinnen toen ze bij de plukkers gekomen waren en haar bedrijfsleider meteen het sein gaf voor de volgende stop. Hij zag er bezweet uit, net als de anderen, maar om zijn mond verscheen een vage glimlach toen ze hem een gevulde koffiekom aanreikte.

'Je zorgt goed voor ons,' knikte hij.

Van de blik in zijn ogen werd ze plotseling heel erg verlegen. Tegelijkertijd schrok ze ervan. Zo moest hij niet kijken! Hij was immers een getrouwd man? En zij... Zij moest ook verstandiger zijn!

Aan het eind van de werkdag verzamelden de arbeiders zich om zoals gebruikelijk met elkaar naar het dorp terug te lopen. Sommige oudere mannen liepen erg moeilijk. Nele zag hen gaan en tegelijkertijd kwam Gijsbert van Damme naar haar toe. Zijn gezicht was getekend door de vermoeidheid die vat op hem gekregen had.

'Dit heb ik lang niet meer gedaan,' moest hij met een vertrokken gezicht toegeven. 'Ik weet niet of ik het alle dagen vol kan houden. Ik ben kapot!' Zijn grimas moest een lach voorstellen.

'Je hebt in ieder geval respect afgedwongen bij de arbeiders, maar het is helemaal niet erg om toe te geven dat het op een gegeven moment niet meer gaat.'

'Denk je?'

Keek hij nu onzeker? Ze zou bijna 'Gijsbert' gezegd hebben, zoals hij een paar weken geleden voorgesteld had, maar ze kon er eenvoudig niet toe komen.

'Iedereen weet dat je in de stad jarenlang een kantoorbaan hebt gehad.' Ze schoot ineens in de lach. 'Eet maar liever met ons mee, en ga daarna op tijd slapen. Morgen is het weer vroeg dag.'

Hij kreunde overdreven. Voor de zoveelste keer besefte ze dat ze niet precies wist wat ze aan hem had en daar voelde ze zich ongemakkelijk onder.

Moeizaam ging hij even later zitten. Mina had ook een deel van de dag meegeholpen en haar gezicht stond ook vermoeid. Keetje sneed het avondbrood. Er stond een koekenpan op het petroleumstel met uitgebakken spek.

'Van Damme eet mee,' deelde Nele mee.

Haar schoonmoeder was weer vertrokken. Daar was Nele blij om, maar inmiddels begon ze te beseffen dat moeder Los nog een andere reden had om een paar keer per week naar de boerderij te komen waar ze zo lang zelf de boerin was geweest. De zorg voor vader Los werd de laatste tijd zwaarder en zwaarder. Het werd haar duidelijk te veel, maar dat was iets wat absoluut niet besproken kon worden. Moeder Los had het gewoon nodig om er even tussenuit te kunnen gaan. Dat haar man dan opgesloten zat in het huis, daar konden de mensen wel iets van te zeggen hebben, maar dat was nodig om hem tegen zichzelf te beschermen. Als hij wegliep, ach, de mensen kenden hem immers en iemand zou hem heus wel terugbrengen. Maar hij zou zonder te kijken onder de stoomtram terecht kunnen komen, overreden kunnen worden door paard-en-wagen, in een sloot belanden en dan verdrinken. Met iemand die zo kinds was als vader Los wist je het immers nooit?

Gijsbert nam een slok koffie uit een kom die hem en Mina waren aangereikt door Keetje.

'Ik kan morgen ook meehelpen,' bood de jongste meid aan. 'Dan kun jij voor het eten zorgen en weer een beetje uitrusten, Mina.'

De oudere meid haalde haar schouders op. 'Ik laat me heus niet kennen! Het vlas staat er mooi bij, juffrouw Los. We hebben dit voorjaar gelukkig geen last gehad van aardvlooien, al was het in mei een hele tijd droog.' Aardvlooien konden bij droogte gemakkelijk schade toebrengen aan het groeiende vlas en aten dan de jonge blaadjes op, maar de schade die daardoor werd veroorzaakt was minder erg dan de schade die door onweersbeestjes kon worden veroorzaakt.

Na het eten kwam Gijsbert maar moeizaam overeind. Hij mompelde binnensmonds en Nele kon het niet helpen dat ze in de lach schoot.

Zijn ogen vlamden. 'Lach maar! Voor het eerst besef ik hoe ik me later als oude kerel zal voelen.'

Ze keek hem na toen hij naar het zomerhuis verdween, maar eenmaal in beweging ging het weer beter met lopen.

Toen ook Mina naar boven was verdwenen en de kinderen sliepen, was Nele ineens helemaal alleen in de grote boerenkeuken, iets wat niet vaak voorkwam. Eerst breide ze verder aan een paar nieuwe sokken voor haar zoon, maar toen ze merkte dat haar gedachten met haar op de loop gingen, legde ze het breiwerk neer en ze staarde door het raam naar buiten.

Waarom voelde ze zich zo?

Ze voelde zich aangetrokken tot Gijsbert, zong het heel voorzichtig in haar hoofd.

Maar daar mocht en kon ze natuurlijk niets mee. Herkennen deed ze het gevoel wel, moest ze heel eerlijk toegeven. Heel lang geleden was ze weleens verliefd geweest, op de zoon van de dorpsnotaris, maar natuurlijk was dat nooit iets geworden. Het was haar vader geweest die er sterk op aandrong dat ze later met Ger zou trouwen, want dat was een boerenzoon – enig kind nog wel, zodat de erfenis niet gedeeld hoefde te worden in de toekomst – op een mooie boerderij. De druk op haar was heel zwaar geweest, en omdat ze destijds best besefte dat er vroeger of later toch met iemand getrouwd moest worden, had ze ten slotte toegegeven. Puur op het verstand, al verbeeldde ze zich een tijdje dat ze toch ook wel verliefd was op Ger. Maar geluk had het haar niet gebracht. Integendeel! En dan nog... Ze was nog maar een paar maanden weduwe, aan hertrouwen kon nog niet worden gedacht. En dat kon ook de komende jaren niet, want ze moest voor Sofie en Bart zorgen en de boerderij later in handen van haar zoon kunnen leggen. Bovendien, Gijsbert was al getrouwd en...

Voor het eerst drong het ten volle tot haar door in wat voor een onmogelijke situatie hij zich eigenlijk bevond. Een vrouw hebben, maar niets met haar kunnen delen. Nooit een warm lichaam naast zich in de bedstee hebben, terwijl hij toch een man was en zijn behoeften moest hebben, zoals Ger die ook had gehad en zoals alle mannen die schenen te hebben. Geen kinderen hebben en ze ook niet zullen krijgen. Erger nog, hij had al een kind moeten verliezen en er zou nooit een ander komen. Dat moest vreselijk zijn. Ze zou zichzelf geen raad weten zonder Sofie en Bart. Zij waren het doel in haar leven, zij waren het lichtpunt geweest in alle donkere jaren van haar moeilijke huwelijk. Bij Ger weggaan was nooit een optie geweest. Scheiden deden alleen heel hooggeplaatste mensen, maar geen boerenmensen zoals zij. Behalve dan als je man een moordenaar was of je helemaal bont en blauw sloeg, en zelfs in die gevallen werd er schande van een vrouw gesproken en werden de kinderen hun leven lang met de vinger nagewezen omdat ze gescheiden ouders hadden.

Het begon zelfs al schemerig te worden in huis. Ze moest eindelijk gaan slapen, bedtijd was ongemerkt al lang en breed verstreken. En toch... Ze wist nu al dat dit weer een nacht zou worden waarin ze nauwelijks een oog dicht zou doen. En dat kwam niet omdat ze wanhopig was, zoals was gebeurd toen Ger nog leefde en hij zo veel lelijke dingen tegen haar had gezegd. Of zoals een poos geleden gebeurd was, toen in het dorp aan haar gevraagd was of het waar was dat ze na de rouwtijd met Hokke zou gaan trouwen.

Was het de man zelf die welbewust dergelijke praatjes aanwakkerde? Ze wist het niet, maar achtte hem er wel toe in staat alles te doen om zijn zin door te drijven. De man maakte haar soms bang, maar ze wachtte er wel voor daar ook maar iets van te laten blijken. Ze had het gerucht vanzelfsprekend stellig ontkend, maar daarmee waren onware geruchten de wereld nog niet uit. Het enige wat ze kon doen, was uitkijken en goed oppassen dat hij niet onverwacht opdook als ze alleen was, en dan iets zou zeggen of doen dat haar reputatie zou beschadigen, zodat ze in het nauw gedreven kon worden. Ze moest goed opletten om met geen blik of gebaar het gerucht voeding te geven.

Haar broers leken het gerucht ook gehoord te hebben. Ze zagen elkaar weinig, Nele voelde ook weinig band met haar broers die veel ouder waren dan zijzelf. Ze hadden zich vroeger al niet veel aangetrokken van hun veel jongere zusje en deden dat nu evenmin, maar waren wel boos omdat er geruchten gingen terwijl zij van niets wisten. Maar er viel niets te weten en van een huwelijk zou geen sprake zijn, had ze teruggeschreven.

Zo tobde ze door. De ene gedachte na de andere hield haar die nacht uit haar slaap, zodat ze ten slotte opstond om op het petroleumstel wat melk warm te maken. Warme melk met een flinke lepel honing daarin opgelost hielp tegen slapeloosheid, zodat ze hoopte daarna eindelijk in slaap te kunnen vallen.

Dat deed ze, maar toen ze wakker werd, besefte ze heftig gedroomd te hebben over Gijsbert van Damme. Daardoor voelde ze zich nog net zo ongemakkelijk als de vorige avond, toen al die gedachten haar wakker hadden gehouden.

9

Na een paar dagen op het land te hebben gelegen, was het vlas voldoende afgestorven om tot schoven gebonden te worden. Een paar van dergelijke schoven werden dan tegen elkaar gezet om het vlas door zon en wind verder te laten drogen. Terwijl het vlas op de ene akker nog werd geplukt, werd het op een ander perceel dus al te drogen gezet.

De plukkers waren moe en soms prikkelbaar geworden van het zware werk. Hoe Gijsbert het voor elkaar kreeg om elke dag ten minste een paar uur mee te helpen met plukken, wist Nele niet, maar het toonde aan dat het een man met doorzettingsvermogen was. Al moest ze stilletjes weleens glimlachen als hij beweerde dat andere werkzaamheden hem noopten om een poos achter de schrijftafel te gaan zitten.

Gelukkig bleef het droog en werd het plukken van het vlas niet opgehouden doordat het gewas natregende. Als de rijpe zaadbollen door een zware regenbui of harde wind tegen de grond sloegen, kon daarmee de oogst forse schade oplopen. Maar deze zomer verliep alles voorspoedig.

Op een dag zat Gijsbert in de mooie kamer achter het bureau van Ger. Nele was in de keuken bezig, Mina was naar het dorp om extra koffie te kopen omdat ze daarvan te weinig in huis hadden, en Keetje plukte vlas.

Nele bracht Gijsbert een kom koffie en bleef toen aarzelend naast hem staan. 'Gaat het nog wel met je rug?'

Hij keek op en schoot in de lach. 'Je bedoelt natuurlijk te zeggen dat ik smoesjes verzin om even lekker te kunnen gaan zitten?'

Ze haalde een tikje betrapt haar schouders op. 'Nu ja, iedereen weet toch dat je de laatste jaren geen zwaar boerenwerk meer hebt verricht? De arbeiders lachen er misschien wel om, maar ze bewonderen toch je doorzettingsvermogen.'

'Vertellen ze dat aan jou?'

'Aan Adrie, die voorman is als jij het niet bent.'

'Adrie is een geschikte kerel, Nele.'

'Inderdaad. Ik zou niet weten wat we zonder hem moesten. We kunnen altijd op hem rekenen. Hij doet zijn werk en meer dan dat en hij zeurt nooit ergens over.'

'Wel, ik moet toch maar liever zelf het goede voorbeeld blijven geven. Met alleen maar zeggen hoe anderen hun werk moeten doen en dan net doen of je alles beter weet, zou ik maar weinig respect verdienen. Denk je niet?'

'Ik ben erg blij dat je gekomen bent om in de plaats van Ger voor alles te zorgen, Gijsbert.' Onbewust was ze hem steeds vaker bij zijn voornaam gaan noemen. Het ontging haar, maar hem zeker niet. Zijn ogen boorden zich diep in die van haar, maar daar werd ze verlegen van en ze wilde zich alweer terug haasten naar de keuken, toen hij haar bij een schortenband greep, zodat ze niet weg kon komen.

'Wacht eens even, niet zo snel! Natuurlijk ben je blij dat het werk nu naar behoren gedaan wordt, maar dat is nog iets anders dan dat je blij bent met míj.'

Ze aarzelde en voelde dat ze een rood hoofd kreeg van plotselinge verlegenheid. Maar hij had die band stevig in zijn handen en zijn ogen leken te zoeken in haar gezicht naar een antwoord op een niet-gestelde vraag.

'Je bent integer en een harde werker, je behandelt het personeel netjes en je vloekt niet, allemaal zaken die...' Ze zweeg betrapt.

'Die je man anders deed. Ik heb meer dan genoeg over hem gehoord, Nele. Als je midden tussen het werkvolk mee plukt, hoor je veel meer dan zij beseffen. Je hebt het niet gemakkelijk gehad in de afgelopen jaren. Niet met je man en tot op de dag van vandaag evenmin met je schoonmoeder.'

'Nee. Maar jij hebt het ook niet gemakkelijk gehad.'

'Dat is zo. Ik geef het bijna met tegenzin toe, maar ik zit inderdaad gevangen in een onmogelijk huwelijk, terwijl...' Hij zweeg en de stilte tussen hen was ineens loodzwaar. 'Wel, hoe dan ook, ik ben niet vrij om werk te maken van een andere vrouw terwijl ik dat misschien heel graag zou willen, terwijl jij ook nog niet... Dus...' Hij liet haar prompt los en even bleef ze aarzelend staan, maar hij trok het vel papier weer naar zich toe, doopte de pen vastberaden in de inktpot en schreef iets op.

Nele haalde diep adem en haar hart hamerde als een razende in haar borst, terwijl er toch niets was gezegd of gedaan dat een ander niet had mogen horen of zien. Dit was een gevaarlijk moment geweest, besefte ze echter terdege. Hij had iets gesuggereerd en zij... Zij zou niets liever willen dan dat hij daarover duidelijker was geweest.

'Gijsbert?'

Hij legde de pen weer neer en schoof de stoel naar achteren. Hij stond niet op, maar keek haar wel recht in de ogen.

'Goed dan. Ik heb inderdaad onverstandige gevoelens voor je, Nele. Maar eraan toegeven is onmogelijk. Zelfs als jij net zo over mij zou denken als ik over jou, is er nog niets mee te beginnen. Dan zou het zelfs het beste zijn als ik zou vertrekken.'

'Dat mag je niet...' hakkelde ze van haar stuk gebracht door die onverwachte bekentenis en nog meer door haar eigen gevoelens daarbij, die haar nogal overvielen.

Hij keek haar niet langer aan, schoof de stoel weer terug en pakte de pen weer op om die opnieuw in de inkt te dopen. 'Ga nu maar. Laten we dit moment maar liever vergeten. Dat is verreweg het verstandigste wat we kunnen doen.'

Toen Nele in de keuken terug was, merkte ze dat ze op haar benen stond te trillen.

Als de schoven met vlas voldoende waren gedroogd, moesten die op schelven worden gezet om verder te drogen. Een schelf was een hoop vlasschoven van ongeveer twee meter hoog, die zo werd opgestapeld dat de uiteinden van het vlas een ronde buitenrand vormden, en de zaadbollen zorgvuldig naar binnen waren gekeerd, zodat een regenbui weinig kans kreeg om de zaadbollen te laten bederven. Vaak werd een vlasschelf bovenop nog afgedekt om inregenen te voorkomen.

Toen uiteindelijk het laatste vlas geplukt was, te drogen was gezet en ten slotte ook geschelfd was, brak de tijd van het 'vlasmennen' aan: het vlas naar de schuur rijden. In dezelfde tijd moest het oogsten van het graan ook gebeuren.

Midden in die drukke tijd viel de verjaardag van Nele in de tweede week van augustus. En uitgerekend diezelfde dag viel de regen na een zware onweersbui met bakken tegelijk uit de hemel, zodat menige boer bevreesd uit het raam tuurde en bezorgd keek naar de vlasschelven en het rijpe graan.

Op de morgen van haar drieëndertigste verjaardag waagde Nele het om voor het eerst weer een zilveren speld te dragen. Goud zou nog ongepast zijn, een kanten krullenmuts van de klederdracht kon nog lang niet, maar op de zwarte zomerjapon naaide ze die morgen een uiterst bescheiden strookje zwarte kant langs de hals. Ze hoopte maar dat er geen commentaar op kwam, Ger was tenslotte nog maar vijf maanden dood. Tevreden keek ze in de spiegel.

De dag zou als altijd weinig bijzonders brengen, wist ze. Ger kocht alleen het eerste jaar na hun huwelijk nog een cadeautje voor haar en daarna niet meer, alsof hij vond dat ze dat niet verdiende. Moeder Los bakte soms een appeltaart of een cake, maar daar bleef het dan wel bij. Ze verwachtte dus weinig van de dag en vond het eigenlijk vervelend dat het weer verhinderde dat ze konden beginnen met het vlas, dat op het land in de schelven was gedroogd, naar de schuur te rijden, waar het dan werd opgeslagen tot er tijd was voor verdere bewerking.

's Morgens verschenen Sofie en Bart met een tekening aan het ontbijt, bij wijze van cadeautje. Nu het augustus was, hadden de kinderen vakantie en al snel verdwenen ze naar de schuur om daar te gaan spelen, samen met de jongste kinderen van Adrie. Voor de rest verwachtte Nele niets meer, totdat Mina en Keetje haar bij de eerste schaft aarzelend een klein flesje eau de cologne cadeau gaven, dat ze verlegen aannam.

'Dat hadden jullie niet moeten doen.'

'U bent erg goed voor ons, en gewoonlijk wordt daar niet veel over gezegd, maar nu willen we allebei onze waardering daarvoor laten zien,' hakkelde Mina, want praten over gevoelens lag nu eenmaal bij de meeste boerenmensen niet voor op de tong.

Nele kreeg er een kleur van, zo blij verrast was ze.

'Dank jullie,' hakkelde ze overvallen.

Keetje glimlachte en verdween naar buiten om het grind netjes aan te harken. Mina verdween in de kelder om de pan soep te pakken die ze voor het middageten op zou warmen, en haalde een bak aardappelen tevoorschijn om die voor straks vast te schillen. Ze had verse sperziebonen en aardbeien geplukt in de moestuin, waar ze graag in werkte, net als Nele dat zelf graag deed.

Verrast zette Nele het flesje op de beddenplank in de bedstee van de mooie kamer, waar ze zelf altijd sliep, en waar ook altijd de po op stond. Terwijl ze zich omdraaide kwamen haar schoonouders binnen, moeder Los met een versgebakken cake bij zich. Ze werd afstandelijk gefeliciteerd en de oude Bart wankelde een beetje en mompelde nog slechts onverstaanbare dingen.

'De afstand is eigenlijk te zwaar voor hem om te lopen,' zuchtte moeder Los. 'Adrie moet ons straks maar terug naar het dorp rijden,' zei ze terwijl ze zich aan het hoofd van de tafel posteerde alsof ze nooit iets anders deed. Tijdens warme zomerweken brandde het fornuis zo min mogelijk. Vroeger werd er in het zomerhuis gekookt, zodat het in de boerderij zelf koel bleef, maar dat kon niet langer sinds daar hun bedrijfsleider woonde. Nu werd zo veel als maar mogelijk was gebruikgemaakt van twee grote petroleumstellen, die veel minder warmte afgaven dan een brandend fornuis en die achter de keuken in de bijkeuken op een plank stonden.

Nog voor moeder Los plakken cake had afgesneden, reed de tilbury van Neles oudste broer Ben het erf op. Verrast liep Nele naar de deur. Het was de eerste keer na de begrafenis van Ger dat ze haar broer weer zag. Terwijl Adrie te hulp schoot om voor het paard te gaan zorgen en de koets droog in de nog vrij lege schuur te zetten, zodat de koets niet de hele dag in de stromende regen hoefde te staan, reed er een paard-en-wagen vol met drijfnatte mensen eveneens het erf op. Daarin zat Neles andere broer met zijn vrouw naast zich op de bok. De vijf neven en nichten van Nele zaten achter in de kar onder een stuk zeildoek, om toch een beetje beschut te zitten. Ben had iets onder zijn jas zitten en dat was gek, want de jas bewoog doorlopend en er klonk gejank uit.

Eenmaal binnen haalde hij het piepende verjaardagscadeautje tevoorschijn. Hij gaf zijn zus onhandig een zoen op de wang, want ze hielden niet van veel uiterlijk vertoon van intimiteit, en mompelde dat ze het hondje cadeau kreeg.

'Suzy heeft gejongd en dit is Bobbie, maar je mag hem natuurlijk ook een andere naam geven,' glimlachte haar schoonzus, terwijl Nele verbouwereerd het hondje in haar armen kreeg gedrukt. 'We weten dat de kinderen al een eeuwigheid om een hondje bedelen en nu Ger er niet meer is,' ze aarzelde zichtbaar, 'misschien kan het nu wel? Maar als je het echt niet wilt, nemen we hem gewoon weer mee terug, hoor.'

Nele kreeg een lik over haar gezicht en het kleine staartje schudde hevig heen en weer.

'Bobbie?' hakkelde ze verbaasd. 'Volgens mij heeft hij zelf al gekozen, en als straks Sofie en Bart weer binnenkomen, zijn ze vast niet meer te houden.'

'Dus je wilt hem wel?'

Inmiddels zat de grote boerenkeuken zomaar ineens vol met mensen, moesten er natte klompen en kleren worden gedroogd, moest het fornuis nu toch branden om alles te drogen en moesten er ramen open worden gezet omdat met zo veel nattigheid en mensen in huis, de ramen begonnen te beslaan. Buiten gutste de regen onverdroten naar beneden.

'We komen maar eens een keertje naar je toe, want we kunnen

vandaag buiten toch niets beginnen. We mogen alleen maar hopen dat het graan niet tegen de akker slaat nu het bijna rijp is,' verzuchtte Ben, die een stoel pakte en enthousiast tegen moeder Los knikte die met de koffieketel aan kwam dragen.

Ongevraagd dook Neles jongere broer Corné in het kabinet in de mooie kamer om de fles jenever tevoorschijn te halen. Hij deed een flinke scheut van het sterke goedje in de koffiekop van zijn broer en van zichzelf, terwijl moeder Los ook niet vies was van een dergelijke toevoeging.

De cake verdween als sneeuw voor de zon. De kinderen kregen door Mina vers gemaakte citroenlimonade en waren weer snel in de schuur verdwenen om met de anderen te spelen. Maar blijkbaar was hondje Bobbie meteen ter sprake gekomen, want even later zat de hele kinderschare op de grond om het speelse beestje heen. Binnen de kortste keren had het diertje van opwinding op de grond geplast, zodat de kinderen de opdracht kregen Bobbie mee te nemen naar de schuur en hem zo nu en dan buiten te laten plassen om hem te leren hoe hij zindelijk moest worden. Mina stond al met een zeepsopje klaar om de schade weer te verwijderen.

Nele zat stomverbaasd in de bomvolle keuken rond te kijken. Wat was het lang geleden dat ze zich echt jarig had gevoeld! Maar vandaag was dat werkelijk het geval. Alleen...

'Mina, misschien eten we tussen de middag beter brood, nu we met zovelen zijn, want mijn broers en hun gezinnen kunnen niet met een lege maag dat hele eind terugrijden, en misschien klaart het weer straks toch weer een beetje op.'

'We dachten zo,' begon Ben, spraakzaam geworden door de jenever in zijn koffie en nog een flinke scheut erachteraan in zijn lege koffiekom, 'nu we buiten toch niets kunnen uitrichten, moesten we je maar eens op komen zoeken. Red je het wel zonder Ger? Voldoet Van Damme als bedrijfsleider? In Mookhoek geven de mensen hoog van hem op, heb ik gehoord, maar ze zeggen ook dat hij een kantoor van zichzelf op wil gaan richten om schrijfwerk te doen voor de boeren en anderen die daar zelf weinig in zien.'

Nele luisterde naar het drukke gepraat. Zo, had Gijsbert plannen waar zij niets van afwist? Maar dat kon niet helemaal kloppen, want hij had er nooit iets over gezegd dat hij erover dacht om binnenkort alweer op te zeggen als bedrijfsleider. Bovendien was hij, net als ze dat bij de arbeiders gewoon waren, in dienst genomen tot volgend jaar de eerste mei.

Keetje moest komen en werd aan het aardappelschillen gezet. Wat Mina eerder had geschild was immers niet genoeg voor zo veel mensen, en nu had de meid het te druk met opnieuw koffie inschenken.

'We hebben genoeg andijvie, voldoende eieren en nog spek, juffrouw Los,' begon Mina op fluistertoon. 'De sperziebonen en aardbeien kunnen we dan maar beter tot morgen bewaren. Ik kook vandaag met al die drukte liever twee grote pannen met andijviestamppot, dan heeft iedereen toch warm gegeten en dan zoeken ze zelf maar uit wanneer ze weer vertrekken. Het is fijn voor u dat uw familie de moeite heeft genomen om vandaag te komen. Dat is niet vaak gebeurd sinds u hier bent gekomen.'

'Omdat het regent kunnen ze buiten toch niets anders doen.'

Mina knikte. 'Tja, dat is het nadeel van verjaren midden in de oogsttijd.'

Nele vroeg zich in stilte af of Gijsbert nog mee kwam eten. Maar toen de keukendeur een halfuur voor etenstijd weer openging, was het tot haar schrik Stoffel Hokke die binnenkwam en ging zitten, alsof hij bij de familie hoorde. Ze trok meteen haar broer Ben aan zijn mouw, terwijl ze hoorde hoe moeder Los die nare man veel te hartelijk verwelkomde.

'Die kerel moet zo snel mogelijk weer vertrekken, Ben, maar daar zal hij wel een helpende hand bij nodig hebben. Hij wil met me trouwen, maar geen haar op mijn hoofd die daarover denkt, en dat schijnt maar niet tot hem door te willen dringen.'

10

Ben knikte en keek de onwelkome gast recht in de ogen. Toen Mina Hokke van koffie en cake wilde voorzien, schudden Nele en haar oudste broer beiden resoluut hun hoofden. Net op datzelfde moment kwamen ook oom Schilleman en tante Lijsbeth binnen.

'Nee maar,' lachte oom, 'alsof niemand met dit schitterende zomerweer iets beters te doen heeft!'

Nadat iedereen was uitgelachen, keek Ben weer recht in de ogen van de ongewenste gast, die boos naar Mina keek omdat hij nog steeds niet naar behoren was bediend. Hij mompelde al iets over de luie en slordige meiden van tegenwoordig, maar Ben verhief zijn stem.

'Ik begrijp niet goed waarom u hier bent? Hokke is de naam, hoorde ik? Wel, dit is duidelijk een familieaangelegenheid, dus als u zaken te bespreken heeft, is het beter om een andere keer terug te komen.'

'Hij hoort er toch ook bij,' liet moeder Los zich net iets te snel horen. 'Nele gaat met hem trouwen, dat weet het hele dorp.'

'Vreemd dat ze daar dan zelf nog helemaal niets van weet. Nele, is mij misschien iets ontgaan en ben je in stilte met deze man verloofd?'

Er viel ineens een zware stilte in de keuken en de vrolijkheid van daarnet had plaatsgemaakt voor een spanning die plotseling te snijden was.

'Nee,' klonk het kort en vastberaden. 'Zeer zeker niet. Daar heb ik zelfs geen moment over gedacht.'

'Mooi. Dan is het dus beter om een andere keer terug te komen.' Ben stond op en bleef strak naar Hokke kijken, terwijl hij naar de keukendeur liep. Hij hield die uitnodigend open zonder de oudere man, die protesterend tegensputterde en hulpeloos naar moeder Los keek, uit het oog te verliezen.

Moeder Los keek erg boos, maar in zo'n groot gezelschap

durfde ze blijkbaar toch haar mond niet open te doen. Ondertussen bedacht Nele, voor de zoveelste keer diep teleurgesteld in haar schoonmoeder, dat ze eigenlijk best had geweten wie de hardnekkige geruchten die in het dorp rondgingen, in het leven had geroepen en door wie ze in stand werden gehouden. Ze beet op haar lip en staarde naar haar handen.

Hokke kon niet anders dan opstaan en vertrekken, zij het dat hij eerst een verontwaardigde en beledigde blik op Nele wierp.

Toen Ben de deur weer achter hem sloot, bleef de stilte zwaar in de keuken hangen.

Nele vatte moed. 'Ik weet echt niet waar die man het waanidee vandaan haalt dat ik er zelfs maar over na zou willen denken om met hem te trouwen. Dat doe ik niet en ik denk er niet eens over om alweer aan een tweede huwelijk te beginnen. Moet ik soms een plakkaat in het dorp ophangen om alle geruchten te ontkennen?'

'Je bent dom,' was de snelle reactie van haar schoonmoeder. 'Wees blij dat een eerbaar man je nog wil hebben.'

'Alie!' Dat was de stem van oom Schilleman en die klonk zeker niet vriendelijk. 'We weten heus wel dat jij en Nele niet goed met elkaar overweg kunnen, maar deze keer ga je te ver. Dus als er in het dorp naar gevraagd wordt wat er vandaag nu weer is gebeurd, dan zeg je ronduit dat Hokke zich een poosje aan je schoondochter heeft opgedrongen, maar dat er geen sprake is van wat dan ook. Begrepen?'

De schoonzusters van Nele wisselden een blik met elkaar, maar zeiden niets. Bij haarzelf was alle plezier verdwenen, maar het hondje kwam de keuken binnenrennen, gevolgd door een hele sliert joelende kinderen. Omdat net op dat moment de regen niet langer tegen de ruiten sloeg, pakte Nele het diertje op en liep ermee naar buiten. Dit was veel te druk voor het arme beestje, en hij moest leren naar buiten te gaan om zijn behoefte te doen.

Ze liep achter de schuur om en bleef daar staan. De bomen en de dijken in de verte verdwenen in een mist, maar ze knipperde net zolang met haar ogen tot die weer optrok. Daarna veegde ze een traan die toch over haar wang kroop, met een ongeduldig gebaar weg. Het was en bleef pijnlijk te beseffen dat haar schoonmoeder haar wel van het erf kon wegkijken, besefte ze verdrietig. Wat ze ook zei, wat ze ook deed, ze kon eenvoudig geen goed doen in de ogen van die vrouw. Ze kon zich er beter niets meer van aantrekken!

Moeder Los kwam niet meer elke dag over de vloer, zoals het geval was geweest toen Ger nog leefde. Hij was er niet langer om haar lelijke dingen toe te voegen, dat was toch een hele verbetering. Hoe kon iemand nu verwachten dat ze graag zou willen hertrouwen na het zware huwelijk dat ze had gehad? Zo veel was er niet geweest om naar een nieuw huwelijk te verlangen. Integendeel.

Bobbie snuffelde uitgebreid rond en liet van opwinding een paar keer een plasje lopen. Daarna pakte ze het bruin met witte hondje op en knuffelde het even. Ze keek ervan op hoeveel troost dat gaf. Het miezerde nog steeds, maar omdat ze dicht tegen de schuur aan stond, hinderde dat niet.

'Huilen op je verjaardag?'

Ze schrok op van de stem die ze inmiddels uit duizenden zou herkennen.

'Ik heb je niet aan horen komen.'

'Gefeliciteerd, Nele. Wat is dat overigens?'

Ze schoot ondanks alles in de lach. 'Een hond.'

'Ja, dat zie ik ook wel.'

'Dit is Bobbie, het cadeautje van mijn oudste broer. Zijn eigen hond heeft jongen gekregen. Ik ben opgegroeid met honden en heb die hier al die jaren gemist. Mijn man hield niet van honden. Vandaar.'

'Er zijn wel katten.'

'Die zijn op een boerderij dan ook broodnodig om het muizenaantal acceptabel te houden, en er is er maar één die weleens in huis komt.'

‘Waarom sta je hier eigenlijk met tranen in je ogen?’

Ze vertelde hem kort van de drukte binnen en het nieuwe ongewenste bezoek van Hokke.

Gijsbert knikte. ‘Die man is hardnekkig en onverbeterlijk.’

‘Mijn schoonmoeder zit er volgens mij achter, zowel achter zijn bezoek als achter de aanhoudende geruchten in het dorp. Ik word er gewoon misselijk van. Ze doet alles wat ze kan om mij het leven zo zuur mogelijk te maken.’

‘Ze wil haar wil opleggen en is gefrustreerd omdat niemand meer naar haar luistert. En ze is overbelast geraakt door de toenemende zwaarte van de zorg om haar man.’

‘Sta je het nu te vergoelijken?’

‘Nee, zeker niet, maar ik heb er wel enig begrip voor dat ze soms zo onaardig kan zijn.’

Nele zuchtte. ‘Ik moet weer naar binnen, maar ik heb er geen zin meer in.’

‘Je moet je herpakken voor je visite en je kinderen. En ik zal je oom Schilleman vragen om net als ik de geruchten in het dorp tegen te spreken. Negeer de onvriendelijke opmerkingen van die oude heks maar liever, dat is beter voor jezelf. Als ze op een dag gaat beseffen dat ze je niet meer raakt als ze lelijk doet, is voor haar de lol eraf.’

Nele zuchtte maar weer eens, maar herpakte zich toen. ‘Kom jij geen koffiedrinken?’

‘Vanavond. Nu is het een familieaangelegenheid. Dag Nele.’

Hij liep alweer weg, en dat maakte het voor haar nog moeilijker om zich te herpakken en terug te gaan naar de overvolle keuken.

‘Zodra het vlas weer droog is, gaan we het mennen,’ vertelde oom Schilleman juist aan haar broer Ben, hoorde Nele toen ze weer in de keuken stond. Ze liet de deur openstaan, want het was binnen warm geworden met zo veel mensen. Ze voelde zich opgelaten.

'Ha, ook wij hebben een cadeautje voor je meegebracht, Nele.' Tante Lijsbeth overhandigde haar een klein pakje in bruin papier, waar ze even later een bijbeltje met een gouden slotje uit haalde. 'Het is nog van onze moeder geweest, Alie. Ik heb het geërfd zoals je weet, maar omdat ik zelf geen kinderen heb... Nu ja, jij mag het hebben en als later Sofie volwassen is, zou ik het fijn vinden als je het dan weer aan haar door zou willen geven.'

Nele was er stil van geworden en keek toen verlegen in de richting van haar schoonmoeder. Die zou het ongetwijfeld liever zelf hebben gekregen.

Moeder Los zei echter niets, en tante Lijsbeth knikte Nele bemoedigend toe.

'Mijn moeder was er zeer aan gehecht, moet je weten. Je hebt haar immers nog gekend voor ze stierf? Alie heeft destijds het bijbeltje geërfd van onze grootmoeder van vaderskant, daarom vond mijn moe dat ik dit moest hebben. Ik hoop dat je er vaak in zult lezen en er de troost in kunt vinden die ik er zelf ook lang in gevonden heb.'

'Maar u...'

'Jij bent in een periode van het leven waarin je troost en steun moet zoeken in de Bijbel, kind, zoals ik dat hierin heb gevonden in alle jaren dat ik hoopte dat Schilleman en ik toch nog het geluk van een eigen kind zouden mogen smaken. Maar ook in de jaren daarna, waarin ik langzamerhand moest leren berusten. Nu ben ik dankbaar voor het leven dat ik leid en dat Schilleman en ik het zo goed hebben samen.' De ogen van tante straalden als altijd liefde en warmte uit.

Opnieuw prikten bij Nele de tranen in haar ogen. Ze stond op en gaf haar aangetrouwde tante een zoen, al waren ze echt niet gewoon dergelijke omhelzingen uit te delen.

'Dank u.'

Tante knikte vriendelijk. Moeder Los stond op om bij de kinderen in de schuur en de stallen te gaan kijken. Vader Los zat als gewoonlijk te snurken in zijn vroegere leunstoel naast het fornuis. Mina en Keetje waren druk in de weer met het middageten. Oom Schilleman slenterde naar buiten, ongetwijfeld om de stand van zaken met Gijsbert door te gaan nemen. Tante Lijsbeth haalde haar meegebrachte breiwerkje tevoorschijn, want een vrouwenhand en een paardentand mochten immers nooit stilstaan, wilde de volkswijsheid. Als vrouwen ergens een dagje op bezoek gingen, namen ze vaak een handwerkje mee. Neles broers en hun vrouwen gingen ook in de richting van de schuur, en zelf had ze het vermoeide hondje op schoot genomen, dat daar bijna meteen als een blok in slaap viel.

Een tikje onwennig schoof Gijsbert rond het middaguur bij de grote kring aan voor de warme maaltijd. Hij keek niet naar Nele en zij niet naar hem. Het gesprek ging als gebruikelijk en soms letterlijk over koetjes en kalfjes, maar natuurlijk ook over het graan en vooral over het vlas dat nu bij alle vlasboeren te drogen stond. Een enkeling had net voor de regen al de eerste wagens met vlas naar zijn schuren gereden. Nog even, en zelfs in de dorpsstraat van 's-Gravendeel zouden enorme schelven vlas worden opgestapeld, als de schuren van de boerderijen vol waren en men dus alleen buiten vlas kon bewaren tot het kon worden gerepeld en gezwingeld.

Zelfs oom Schilleman deed na het middageten een dutje, en ook moeder Los zat een halfuurtje te knikkebollen. Nadat er weer koffie was gedronken en nog een borreltje was geschonken om het af te leren, stonden haar broers op. Even later zwaaide Nele de tilbury en de volgeladen paard-en-wagen uit, waarna het meteen weer rustig werd op het erf. Bart slenterde – zoals hij steeds vaker deed nu de school gesloten was – achter Gijsbert aan, zag Nele door het keukenraam. Sofie was moe en kwam bij haar moeder zitten om te borduren aan haar stoplap, een werkje waar alle jonge meisjes aan moesten werken om zich de kunst van het borduren en het stoppen eigen te maken. Ook oom en tante vertrokken weer naar hun eigen boerderij, nadat de lucht begon open te breken en er zelfs weer een paar blauwe plekken tevoorschijn begonnen te komen.

'Laten we hopen dat het lekker blijft waaien en de zon alle nattigheid snel opdroogt,' bromde oom tevreden. Boeren als oom Schilleman, maar ook vissers en schippers zagen vaak aan de lucht wat het weer in de komende dagen ging doen. Ze waren immers van het weer afhankelijk! Schippers om te kunnen zeilen, boeren om hun gewassen te kunnen laten groeien en oogsten.

Pas toen het rustig was geworden en ook haar schoonouders naar huis waren gereden door Adrie, kwam Gijsbert weer binnen. Even later stond hij ongemakkelijk te schutteren met een kleinigheidje van hout in zijn handen.

'Hier, Nele, dat is voor jou,' zei hij plotseling verlegen.

Ze had hem nog nooit zo gezien en schoot bijna in de lach, maar toen zag ze dat het een hondje was, uit hout gesneden.

'Maar... Wat mooi! Hoe kom je daaraan?'

Hij haalde verlegen zijn schouders op. 'Ik heb me altijd graag beziggehouden met houtsnijden, op momenten dat er niet veel anders te doen viel. Ik hoop dat je het niet erg vindt dat ik vandaag...'

'Maar het is prachtig!'

Toen klaarde zijn gezicht helemaal op. 'Gelukkig dan maar,' grinnikte hij.

Even moest ze de neiging bedwingen hem spontaan een kus op de wang te geven, zoals ze die ochtend bij tante Lijsbeth had gedaan. En daar schrok ze dan weer van, dat wel.

Met paard-en-wagen werd het vlas naar de boerderij gereden zodra het voldoende was opgedroogd. Korte tijd later verrezen de eerste enorme vlasschelven in de straten van het dorp. Er werd zelfs veel vlas aangevoerd per zeilschip, door de vlassers geteeld tot in Groningen en Friesland aan toe. Er waren boeren die zelf weinig tot geen grond hadden, maar die voornamelijk vlas verwerkten tot het weer als vlaslint verkocht kon worden. Bij hun boerderijen stonden de grootste schelven en ook de grootste zwingelketen met soms wel dertig zwingelborden op een rij en evenzovele arbeiders die daar aan het werk waren.

Die schelven waren als ze droog waren net fakkels als er brand in kwam. Als dat gebeurde betekende dat meestal een ramp, niet alleen voor de betreffende boer, maar soms zelfs voor het hele dorp, als ook de huizen vlam dreigden te vatten bij een grote brand. De schelven, die lang moesten blijven staan voor het vlas verder kon worden bewerkt, werden door de rietdekker afgedekt tegen weersinvloeden, zodat het vlas in die tijd niet kon bederven.

In de haven van het dorp was het in die dagen eveneens een drukte van belang. Slimme schippers meerden bij voorkeur met eb af. Dan lag het schip diep met het hoog opgetaste vlas op het dek, zodat het gemakkelijker te lossen was. Paard-en-wagens reden af en aan. Naarmate het vlas op het dek minder hoog lag opgestapeld, kwam dan door de opkomende vloed het schip vanzelf weer omhoog, zodat het lossen gemakkelijk bleef gaan. Maar het was niet voor alle schippers mogelijk om op het geschiktste tij te wachten.

Ook bij hoeve Sofie verscheen een grote schelf met vlas op het erf. In deze tijd van het jaar hoefde geen enkele gezonde kerel werkloos thuis te zitten, want werk was er nu meer dan genoeg. In augustus en september werd zo veel mogelijk vlas gerepeld, want roten was na oktober niet meer mogelijk tot het in maart weer warmer begon te worden, zodat het gerote vlas in de veel rustiger wintermaanden kon worden gezwingeld.

Het tijdstip om met repelen te beginnen luisterde nauw. Als het vlas te vroeg gerepeld werd, zaten de zaadbollen nog te vast en kon er gemakkelijk broei ontstaan. Voor broei waren de dorpelingen bang, omdat dat gemakkelijk tot brand kon leiden.

De mannen die niet met de zeis in het land waren voor de graanoogst, begonnen al een deel van het vlas te repelen. Dit was de bewerking van het vlas die nodig was om het van de zaadbollen te ontdoen. Dit gebeurde op een 'repel', wat feitelijk een dik blok hout was met daarop een rij vierkante ijzeren tanden met scherpe punten, ongeveer vijftig centimeter hoog en enkele millimeters uit elkaar geplaatst, zodat er een soort kam werd gevormd. De repel zat dan vast op een plank van ongeveer drie meter lang, en op die plank, die op twee schragen rustte, ging voor het repelen aan beide zijden van de ijzeren kam een arbeider schrijlings zitten om met een handvol tegelijk het vlas door de repel te slaan. Elk van de twee arbeiders gebruikte daarvoor de helft van de kam, en zo werd het vlas van de zaadbollen ontdaan. Meestal stonden er meerdere van dergelijke repels naast elkaar om het werk lekker op te laten schieten, en de arbeiders die dit werk deden heetten 'repers'. Onkruid en riet bleven bij het repelen in de kam achter. Ook verwarde en afgebroken stengels bleven in de kam achter, zodat het vlas door deze bewerking tevens flink werd opgeschoond. De kam werd geregeld schoongemaakt en van onkruid ontdaan.

Achter de repers stonden vrouwen en meisjes klaar, die 'bootsters' werden genoemd. Zij moesten de gerepelde vlasstengels oprapen om er een 'boot' van te maken. Dat was een hoeveelheid vlas die nog net met hun twee handen kon worden omvat, en dat werd dan samengebonden met zoetwaterbies, 'biesband' genoemd. Zoetwaterbies verging niet als de boten vlas in slootwater werden geroot. Nele had zelf vroeger ook als bootster achter haar broers gestaan, want jong geleerd was oud gedaan, had haar vader altijd beweerd. Ze liep soms met Gijsbert en soms ook met oom Schilleman door de schuur, en omdat ze het werk zelf goed kende, zag ze het ook meteen als er ergens problemen ontstonden.

De vrouwen bouwden buiten de schuur hun eigen stapeltje vlasboten, en er ontstond gewoonlijk al snel een soort wedstrijdje wie de grootste stapel met boten had. Maar ondertussen was de stemming onder het werkvolk meestal prima en werd er veel door hen gezongen. Er stonden naast de schuur van hoeve Sofie al snel veel stapels klaar om vervoerd te worden voor het roten.

Die dag was het warm, en de arbeiders zweetten enorm, maar niettemin bleven ze zingen en soms klonken de liederen, meestal smartlappen, zelfs meerstemmig. Nele genoot ervan, besefte ze. En ook de arbeiders wisten dat ze weliswaar hard moesten werken, maar dat waren ze gewend en repelen was heel wat prettiger werk dan het stoffige zwingelen in de wintermaanden.

'Dat schiet goed op,' klonk de stem van Gijsbert aan het einde van die bloedhete middag vlak achter Nele. Ze had hem niet aan horen komen en schrok ervan, maar ze keerde zich om en glimlachte naar hem. Bobbie liep rond in de schuur en amuseerde zich kostelijk, maar ze moesten goed opletten dat hij geen plasje zou laten lopen op de zaadbollen, die langzamerhand een dikke laag op de vloer van de schuur begonnen te vormen.

'We hebben dit jaar een goede oogst, lijkt het, Nele. Je kunt er trots op zijn als boerin, en dat nog wel zonder je man.'

'Wel, dat is niet mijn persoonlijke verdienste,' grinnikte ze opgewekt. 'Het weer heeft meegezeten. We hebben ook geen last gekregen van ernstige ziekten in het gewas. Dit zijn over het algemeen goede jaren voor ons boeren, en jij zorgt ervoor dat alles op rolletjes loopt. De arbeiders hebben je gezag gemakkelijk geaccepteerd.'

Hij grinnikte eveneens. 'En dat voor een man van wie in het algemeen wordt gezegd dat hij het liefst op een bureaustoel zit.'

'Ze zeggen dat je een soort kantoor wilt beginnen om schrijfwerk van boeren uit handen te nemen.'

'Dat doe ik nu al voor mijn broers, en twee anderen hier in het dorp hebben me gevraagd of ik dat ook voor hen zou willen doen. Dat doe ik dan 's avonds in het zomerhuis. Vind je dat niet erg?'

'Natuurlijk niet, het is je eigen vrije tijd.'

'Het is overigens wel prettig om de komende paar jaar mijn praktische ervaring uit te breiden waar het boerenwerk betreft. Daar leer ik veel van. Ik denk erover om eens langs te gaan bij de vlasfabriek van de familie Van Nes in Rijsoord, waar ze al werken met zwingelmolens. Sommige grote boeren hier in het dorp hebben ook al zulke grote bedrijven dat het wel een soort fabriekjes lijken, en lang niet allemaal hebben ze veel kijk op het cijferwerk. Bij een van de Vissers zijn ze zelfs van plan om in bakken met warm water te gaan roten. Dat heeft een familielid die in België op reis was, daar gezien.'

'Je bent een boerenzoon, op een boerderij opgegroeid, dan heb je toch ervaring genoeg?'

Hij moest lachen. 'Het kan nooit kwaad om meer te leren en ik ben er jaren tussenuit geweest. Werken voor de Rotterdamse haven is heel iets anders. Maar goed, ik had al jong ontdekt dat ik goed kon leren, al vond mijn vader dat een vervelende eigenschap. Maar ik mocht toch drie jaar lang naar de hbs in Oud-Beijerland, waar ik nogal uit de toon viel als boerenzoon, omdat eigenlijk alleen rijkeluiszoontjes daar op school zaten – die overigens lang niet allemaal even goed konden leren. Later heb ik van die schooltijd nog veel plezier gehad. Want ja, een boer met veel zoons kan toch maar één opvolger hebben. Jouw zoon heeft het wat dat betreft gemakkelijker, zo zonder een hele rij broers.'

'Vond je het niet fijn in de Rotterdamse haven?'

'Jawel, en ik heb er ook veel van geleerd, maar ineens kreeg ik een soort van heimwee en bekroop me het verlangen om in mijn geboortedorp te gaan wonen. Dat heb ik uiteindelijk na jaren gedaan. Ik ben en blijf uiteindelijk een boerenzoon, Nele. Ik hou van het platteland. En een man in de omstandigheden zoals die van mij, moet toch ergens plezier in kunnen hebben.'

Ze knikte en haar lach verdween van haar gezicht. 'Ik vond mijn eigen lot zwaar, maar dat van jou is natuurlijk veel erger.'

'Ingetje is ziek. Dat is ook erg, maar ik zit vast, want er kan niet gescheiden worden in dergelijke gevallen. Het is echter niet anders, daar moet ik me bij neerleggen, en na jarenlange innerlijke strijd is dat nu min of meer het geval. Helemaal accepteren doe je zoiets waarschijnlijk nooit. Ik kan met de beste wil van de wereld geen verandering in de wetgeving brengen.'

'Zoek je haar nog weleens op?'

'Ze is in Rotterdam. Sinds ik terug naar het eiland ben gekomen, heb ik haar niet meer opgezocht. In het begin is er nog hoop, moet je weten, hoop dat het weer overgaat en dat ze toch weer zichzelf wordt. Maar het werd alleen maar erger, en ten slotte verlies je dan het laatste sprankje hoop. Dat was een zware tijd, geloof me. Berusting vinden is heel moeilijk.'

Zijn ogen stonden ineens heel erg triest, en ze moest zich bedwingen om niet een troostende arm om hem heen te slaan. Maar dat was natuurlijk onmogelijk, zeker met zo veel arbeiders om hen heen die niet vies zouden zijn van een smakelijk roddeltje.

'Dus nee, ik zoek haar niet meer op. Zij raakt ervan overstuur als ze mij ziet, en ik nog meer. Zo nu en dan krijg ik een brief van het dolhuis over hoe het met haar gaat, en bijna altijd vergezeld van een verzoek om nog meer geld te sturen voor haar verzorging. Je hebt er overigens geen voorstelling van hoe vreselijk het daar is. Gillende mensen, gekrijs, mensen die vastgebonden moeten worden, mensen die zich bevuilen met hun eigen uitwerpselen. Het ruikt er altijd naar urine. Veel zieken – want dat zijn het toch – komen nooit meer buiten. Als het te erg is, worden die opgesloten of in ijskoud water ondergedompeld om te kalmeren. Ik heb me vaak afgevraagd hoe de verzorgers het volhouden om jarenlang onder die vreselijke omstandigheden hun werk te moeten verrichten.' Zijn gezicht stond somber en hij slaakte een diepe zucht. 'Ik ben dagenlang aangeslagen als ik daar geweest ben, en ik doe er haar dus blijkbaar ook geen plezier mee. Ze zit altijd in zak en as en probeert doorlopend zichzelf iets aan te doen. Vier keer is het haar bijna gelukt. Bijna.'

'Maar zelfmoord is een zware zonde.'

Hij knikte en het duurde even eer hij antwoord gaf. 'Maar misschien komt de dood in sommige gevallen wel als een verlossing, wie zal het zeggen, Nele?'

‘Maar een zelfmoordenaar kan toch nooit in de hemel komen?’

Hij knikte. ‘Dat wordt ons geleerd, maar wie zal dat bepalen? Mensen denken graag precies te weten wat God wil.’

Toen haalde hij diep adem. ‘Maar nu genoeg hierover! Neem je Bobbie mee om hem ergens anders te laten plassen?’

11

Op de tweede zaterdagavond in september zat Nele heerlijk rustig in de keuken van de boerderij de krant te lezen. Sinds kort hadden ze op hoeve Sofie hun eigen abonnement op de krant, die ze tot voor kort altijd van oom Schilleman kregen als hij en tante Lijsbeth die uitgelezen hadden. Ger en ook zijn moeder hadden het natuurlijk geldverspilling gevonden om een eigen abonnement op een krant te hebben. Nu Ger er niet meer was, had ze besloten daar eindelijk verandering in te brengen. Haar schoonmoeder had vanzelfsprekend laten weten dat dwaasheid en geldverspilling te vinden. Nele was immers niet eens een man en een abonnement vond ze meer iets voor hoge heren.

Nele had zich daar echter niets meer van aangetrokken. De wereld was immers groter dan alleen hun eigen dorp. Ook het nieuws van andere dorpen op het eiland en zelfs van de rest van de wereld las ze graag, en ze was er meteen mee begonnen ook Sofie en Bart te stimuleren regelmatig iets te lezen. Dat leerde hun verder te kijken dan alleen hun eigen belang.

De krant verscheen drie keer in de week en het was prettig niet langer afhankelijk te zijn van de krant die ze pas een paar dagen na verschijning van oom Schilleman kreeg. Als de krant uit was, wilde Gijsbert die ook graag lezen, en daarna ging die ook nog naar Adrie en zijn vrouw. Adrie kon niet goed lezen, maar zijn vrouw wel en die las haar man dan 's avonds voor, had Nele gehoord. Als de krant zodoende bijna stukgelezen was, ging die uiteindelijk de weg van alle kranten: in reepjes gescheurd eindigden de kranten dan meestal op de plee.

Mina zat boven de keukentafel te knikkebollen, want ze was moe. Naast het huishouden was ze regelmatig bij het repelen te vinden, en komende maandag zou ermee worden begonnen het gerepelde vlas naar de rootsloot te brengen. Sofie en Bart zaten schoongewassen en met natte haren na de wekelijkse wasbeurt in de teil, een spelletje ganzenbord te spelen tot het bedtijd was.

Zelf was Nele ook in bad geweest, en haar natte, lange haren hingen nu los over haar rug om weer te drogen. Ze blies in een kom gloeiend hete koffie en keek tevreden om zich heen. Heerlijk rustig, dacht ze. Ze genoot van de zeldzame momenten dat alles zo rustig was. Keetje was vlak na het middageten naar huis gegaan. Ze moest op zaterdagmiddag altijd haar moeder helpen met het een of andere huishoudelijke klusje. Mina had ook wel familie, maar daar was ze niet graag en ze zocht die zelden op.

Nele keek dan ook vreemd op toen er onverwacht op de keukendeur geklopt werd. Ze verwachtte immers niemand? Gijsbert was naar zijn broers en zou morgen pas terugkomen. Oom en tante kwamen nooit op zaterdagavond op bezoek en... Zou er soms iets met moeder of vader Los zijn gebeurd? Uiteindelijk waren dat al oude mensen.

'Vollek,' klonk een stem die ze niet herkende en meteen zag ze dat het Joost Visser was, die naar binnen stapte met een zelfverzekerde blik in zijn ogen. Hij nam Nele goedkeurend en onderzoekend op. 'Goedenavond. Ik wil graag op de koffie komen.'

Even leek het of haar hart bijna stilstond. Ooit had Ger ook onverwacht in de keuken van haar ouders gestaan. Als een jongeman op zaterdagavond het huis opzocht van een ongetrouwd meisje, was zijn bedoeling immers meteen duidelijk: dan had hij serieuze interesse in haar. Maar zij was geen jong meisje meer, zij was weduwe.

Toen drong het bijna meteen tot haar door dat Joost Visser een klein jaar geleden zijn vrouw had verloren in het kraambed van hun derde kind.

Even keken beide mensen elkaar recht in de ogen, maar Joost aarzelde niet. Hij liep zelfverzekerd op een stoel af en ging zitten. Hij knikte naar de wakker geschrokken Mina, die na een vragende blik op Nele en een kort knikje van haar kant meteen voor koffie ging zorgen voor de onverwachte bezoeker.

Voor jonge mensen waren de spelregels duidelijk, ging het door Neles hoofd. Voor weduwen en weduwnaars was dat veel minder het geval. De meesten hertrouwden, gewoon omdat een man nu eenmaal een vrouw nodig had om voor hem te zorgen, en een vrouw geen of maar weinig inkomsten had als ze alleen was achtergebleven. Dergelijke huwelijken werden dan ook vaak puur uit verstandelijke overwegingen gesloten. Dat was met de avances van Hokke ook het geval geweest. En met deze man, die een paar jaar jonger moest zijn dan zijzelf, eveneens. Zijn kinderen waren nog klein. De zuigeling was door een andere vrouw in het dorp aan de borst gevoed, want zonder dat zou het gestorven zijn van de honger, maar het kind woonde nu weer bij Joost op de boerderij. Zijn ongetrouwde oudere zuster Aleid zorgde momenteel voor hen. Nele herinnerde zich ineens dat haar schoonmoeder graag had gezien dat Ger ooit met deze Aleid getrouwd zou zijn. Ze zuchtte stilletjes voor zich heen.

Hij vatte blijkbaar moed. 'Ik dacht maar zo: ik trek gewoon de stoute schoenen aan.' De jongeman was blijkbaar niet verlegen, eerder keek hij haar een tikje hooghartig aan. Enkelen van de grootste vlasboeren van het dorp behoorden immers tot zijn familie. Hij bewoonde een boerderij ergens tussen 's-Gravendeel en Puttershoek in, die zijn welgestelde vader voor zijn huwelijk had gekocht van een kinderloos echtpaar.

Eigenlijk wist ze op geen stukken na wat ze nu moest zeggen, bedacht Nele onzeker. Ze knikte dus slechts en bleef hem vragend aankijken, terwijl hij aan de koffie nipte.

'Jij hebt twee kinderen zonder vader, en ik heb er drie zonder moeder. Een huwelijk tussen ons beiden zou erg verstandig kunnen zijn.'

Ze vond na een minuut lang perplex naar hem gestaard te hebben, eindelijk haar spraak weer terug.

'Wel, ik moet zeggen, dit is nogal onverwacht. Je windt er overigens geen doekjes om.'

'Dat zou ook weinig zin hebben. Ik ben boer, jij bent boerin. We zijn van dezelfde kerk, dat is ook belangrijk. Mijn kinderen hebben een moeder nodig, want mijn zuster heeft te kennen gegeven dat ze niet jarenlang voor hen wil blijven zorgen, en ik heb een vrouw nodig die alles op de boerderij in goede banen leidt. Zo'n vrouw ben jij, dacht ik zo, en je bent slechts een paar jaar ouder dan ik. Het zou een geschikte overeenkomst kunnen zijn, waar niemand bezwaar tegen zou kunnen maken. Behalve misschien mijn zuster Aleid, maar dat dan uitsluitend op emotionele gronden vanwege iets uit het verleden.'

'Maar... ik heb nog helemaal niet aan een tweede huwelijk gedacht,' hakkelde Nele, toch wel behoorlijk van haar stuk gebracht door zijn directe en totaal onverwachte benadering.

'Ik begrijp ook wel dat dit je overvalt. Het was overigens je schoonmoeder die me op het idee bracht. Ze vertelde me dat Hokke zich teruggetrokken heeft. Wat ze overigens erg spijtig scheen te vinden.'

Hokke? Nu werd Nele zelfs een beetje boos. Ze vermande zich.

'Hokke is hier een paar keer langs geweest en ik vond dat niet prettig. Maar dat drong blijkbaar niet tot hem door.'

'Iedereen had het erover dat je met hem zou gaan trouwen.'

'Dat heb ik nimmer overwogen.'

Dat klonk zo resoluut dat hij glimlachte. 'Wel, dat pleit dan voor je. Je bent een aantrekkelijke vrouw, Nele. Je weert je hier kranig zonder man.'

'Met behulp van een oom en een bedrijfsleider.'

'Dat is niet anders te verwachten. Je bent immers een vrouw.'

Nele knikte, maar wist niet goed wat ze met zijn aanwezigheid moest beginnen. Nadat de kinderen naar bed gestuurd waren, was Mina al die tijd bij hen blijven zitten, want het zou niet netjes gevonden worden als ze hen alleen liet, een ongetrouwde vrouw en een ongetrouwde man alleen in een en dezelfde ruimte, daar spraken de mensen immers al snel schande van. De stilte die viel was onaangenaam. Joost schuifelde onzekerder dan bij zijn binnenkomst op de stoel en stond niet veel later op.

'Wel, je weet hoe ik erover denk. Ik kom volgende week horen wat je ervan vindt, als je er eens rustig over na hebt kunnen denken.'

Hij was weer weg voor ze had kunnen reageren.

Mina stond grinnikend op. 'Nu kan ik eindelijk gaan slapen. Welterusten.'

Nele knikte, maar de slaap wilde niet komen toen ze later zelf in de bedstee lag. Hertrouwen? Dat wilde ze immers helemaal niet? Zelfs niet met een welgestelde boer uit een familie die in het dorp in hoog aanzien stond!

De volgende morgen kwam ze moe uit de bedstee, maar zonder er met iemand over te praten wist ze dat ze haar besluit al genomen had. Nee, voor haar echt geen tweede huwelijk! Zo best was het niet geweest, dat ze naar de huwelijkse staat terug ging verlangen!

Het repelen was inmiddels al behoorlijk gevorderd. Het vlas in de schelf zou pas veel later gerepeld worden, in het voorjaar. Er lag nu een dik pak zaadbollen op de dorsvloer. De zaadbollen werden door een van de knechten regelmatig tegen de muur geschept, en wanneer nodig waren de repels steeds weer een stukje verplaatst. Ze werkten op hoeve Sofie met drie repels naast elkaar, zodat er steeds zes knechten aan het repelen waren geweest en evenveel vrouwen en meisjes hen hielpen. Adrie hielp ook mee met zijn vrouw. De oudste dochter van Adrie moest helpen en Keetje soms ook. Zelfs Sofie moest een paar uur meehelpen als ze uit school kwam, en het meisje ontkwam er niet aan om boten te moeten maken. Oom Schilleman had bedacht dat het nuttig was om het meisje alles te leren wat ze moest weten, voor het geval ze later zelf met een boer trouwde – wat iedereen natuurlijk hoopte. Dan moest ze elk werk zelf ook goed kunnen doen, dat waren Nele en oom Schilleman roerend met elkaar eens.

Toen het repelen zo ver gevorderd was, ging de keukendeur op zaterdagavond tegen acht uur open en verscheen Joost Visser, net als een week geleden, om koffie te komen drinken. Nele had eerlijk gezegd nauwelijks nog aan hem gedacht en schrok er een beetje van, maar ze vermande zich snel weer. Mina hielp Sofie met haar stoplap, Bart was ook nog op en keek argwanend naar de bezoeker die hij hier vroeger nooit had gezien en nu al voor de tweede keer. Maar de jongen zei niets, hij ging verder met zijn mesje en een stukje hout. Nele had inmiddels begrepen dat hij de eerste beginselen van het houtsnijden had afgekeken van Gijsbert, die daar zeer bedreven in bleek te zijn. Het houten evenbeeld van Bobbie dat Gijsbert haar gegeven had, was haar zeer dierbaar geworden.

Ze zuchtte stilletjes voor zich heen. Joost keek eens taxerend om zich heen. Hoeve Sofie was een middelgrote boerderij. De hoeve kon niet in de schaduw staan van de grote boerderij van de oudste broer van Joost, die daar de scepter zwaaide sinds hun vader zich teruggetrokken had om te gaan rentenieren. Twee broers werkten voor de oudste. Een andere broer had een boerendochter getrouwd die geen broers had en had daarom de boerderij van zijn schoonvader overgenomen. De vader van Joost had voor hem een boerderij gekocht een eind buiten het dorp. Joost moest met de sjees gekomen zijn, want lopend zou hij heel lang onderweg zijn. Joost pachtte de boerderij van zijn vader, die zou ooit waarschijnlijk zijn erfdeel vormen. Zo welgesteld waren ze op hoeve Sofie bij lange na niet, en Nele vroeg zich af wat de ongenode gast wel dacht, terwijl hij zo taxerend rondkeek. Joost had ook twee zussen. De oudste, Aleid, had dus ooit gehoopt met Ger te zullen trouwen, maar hij had Nele boven haar verkozen. Aleid was nadien nooit met een ander getrouwd en verving nu de overleden vrouw van Joost op de boerderij. Maar de mensen beweerden dat ze dat zeker niet van harte deed.

Mina begreep de situatie en droeg de kinderen op te gaan slapen. Net als een week geleden bleef de meid zitten. Toen het weer rustig was geworden, schraapte Joost zijn keel.

'Je weet waarom ik ben gekomen, Nele. Er zijn niet veel jonge weduwen in het dorp die in aanmerking komen voor een huwelijk met mij. Ze zijn te arm, te oud of hebben familie met een slechte reputatie.'

Nele wist niet goed wat hierop te zeggen en knikte dus slechts. Ze voelde zich enorm opgelaten. Ze nam hem tersluiks op. Ach, hij was geen onaardige man om te zien en er werd niet over hem gekletst. Voor zover ze wist dronk hij niet bovenmatig, iets wat over Hokke zo nu en dan wel degelijk werd beweerd. Joost was zonder meer welgesteld. Goed beschouwd pleitte er niets tegen hem. Ze wist het. Maar toch...

Ze wist heus wel wat haar schoonmoeder ervan te zeggen zou hebben als ze opnieuw liet weten nog lang niet aan een tweede huwelijk toe te zijn, zelfs niet met Joost Visser. En ze besefte ook dat ze hem maar beter niet onnodig aan het lijntje kon houden, maar hem meteen duidelijkheid moest geven.

Hij keek haar onderzoekend en taxerend aan. 'Het is een hele eer voor je, Nele, een dergelijk goed huwelijk te kunnen doen,' stelde hij zelfverzekerd vast.

Ze kreeg een kleur, deels van verlegenheid, maar deels zeker ook omdat ze het een lastige situatie vond.

'Het spijt me,' hakkelde ze opgelaten.

Hij keek haar niet-begrijpend aan, en scheen even niet te weten wat hij moest zeggen.

Ze was hem zeker uitleg verschuldigd, besefte ze.

'Ik ben namelijk nog lang niet aan een nieuw huwelijk toe, Visser,' hakkelde ze opgelaten. 'Het komt te vroeg. Ik hertrouw voorlopig niet.'

'Maar je hebt een man nodig. Alle vrouwen hebben een man nodig.'

'In de toekomst misschien wel, maar ik zie het als mijn voornaamste taak dat Sofie en Bart in hun eigen huis opgroeien, om hen voor te bereiden op het leven dat hun te wachten staat en nee, ik hertrouw voorlopig niet. Niet met jou en met een ander ook niet, tot de kinderen volwassen zijn, denk ik.'

Zijn gezicht kreeg even een beledigde uitdrukking. De stilte die op haar woorden volgde was loodzwaar en zelfs pijnlijk te noemen. Uiteindelijk schraapte hij zijn keel.

'Wel, dat is dan duidelijk. Dan stap ik maar weer eens op. En als je spijt krijgt, is het te laat, want ik ben Hokke niet om nog een keer met hangende pootjes terug te komen.'

'Ik weet niet wat er over Hokke wordt gezegd, maar ik heb hem nooit aangemoedigd om te denken dat er sprake van zou zijn dat ik zou willen hertrouwen, ongeacht met wie. Ik hoop dat je dat wilt geloven.'

Hij keek boos en ze betwijfelde het, maar ze kon nu beter zwijgen, want gekwetste trots kon gevaarlijk zijn, zeker bij een man uit zo'n toonaangevende familie.

Toen de deur even later achter hem dichtviel, voelde ze zich alleen maar opgelucht.

12

Toch was ze op de een of andere manier van streek geraakt en ze voelde dat ze nog lang niet zou kunnen slapen. Mina had na het vertrek van Visser haar slaapkamertje op de zolder opgezocht. Nele was naar buiten gelopen voor een laatste bezoek aan het huisje. Ze genoot van de wat kille wind die was opgestoken. Nu het bijna eind september was, waren de dagen soms nog warm, maar op andere dagen kon de naderende herfst toch duidelijk worden gevoeld.

Ze staarde naar de met sterren bezaaide hemel. Ze slaakte keer op keer een zucht, zonder zich dat bewust te zijn. Maar ineens voelde ze dat ze niet langer alleen was. Er trok een prettige tinteling door haar heen, die haar aan het blozen maakte. Gelukkig maar dat het inmiddels donker was geworden en dat die kleur niet kon worden gezien.

'Ik zag Visser vertrekken.' Het was een vaststelling en een vraag tegelijkertijd.

'Hij was vorige week ook al hier en nu weer.'

'Dat zal dan niet voor niets zijn geweest.' Hij was nog een stap dichterbij gekomen.

Ze huiverde licht en trok de omslagdoek dichter om zich heen. Het liefst zou ze zelf ook nog een stap in zijn richting doen.

'Nee. Hij heeft een moeder nodig voor zijn drie kinderen en tot mijn stomme verbazing ziet hij mij wel zitten op die plek.'

Het bleef tamelijk lang stil achter haar rug, zodat ze zich ten slotte omdraaide om zijn gezicht te kunnen zien.

'Je bent een mooie vrouw, Nele. Je bent nog jong genoeg om meer kinderen te kunnen krijgen. Het verbaast me dus niet dat andere mannen dat ook zien. Eerst Hokke, en nu Visser. Komt hij volgende week weer?'

'Praat me er niet van. Nee, hij hoeft niet nog eens te komen, dat heb ik hem gezegd. En Hokke!' Er klonk zo veel afweer in haar stem door dat hij onwillekeurig in de lach schoot.

'Gelijk heb je. Hokke is niet alleen te oud voor je, maar ook verder volkomen ongeschikt om een gevoelige vrouw als jij bent gelukkig te kunnen maken. Maar Visser zou zeker een goede partij zijn. Je schoonmoeder zal dit niet leuk vinden als ze het te horen krijgt.'

Ineens werd ze boos. 'Het is niet aan jou om je ermee te bemoeien met wie ik al dan niet ga trouwen, Gijsbert van Damme.'

'Au,' grinnikte hij blijkbaar niet in het minst van zijn stuk gebracht. 'Maar je hebt natuurlijk gelijk. Om welke reden wil je nog niet aan een volgend huwelijk denken? Is het nog te vroeg?'

'Dat zeg ik tegen iedereen die ernaar mocht vragen, maar de waarheid is dat het huwelijk me zo bitter weinig geluk heeft gebracht, dat ik niet op een herhaling daarvan zit te wachten. Nu hoef ik alleen mijn schoonmoeder maar in de gaten te houden. Oom en tante zijn goed en vriendelijk. Jij ook natuurlijk.'

Hij deed ineens weer een stap in haar richting. 'Misschien ben ik wel een wolf in schaapskleren. Je bent nog mooier dan anders als je ogen ineens zo groot worden. Van de schrik, Nele? Voor mij hoef je niet bang te zijn, hoor.' Vlinderlicht raakten zijn lippen haar wang aan.

Ineens deed hij weer een stap terug. 'Het spijt me, dat had ik niet mogen doen.'

'Maar jij... verlang jij dan niet naar een gezin voor jezelf?'

Ineens werd zijn gezicht strak en gesloten, en het plaaglichtje dat ze net in zijn ogen dacht te zien, was meteen weer verdwenen. Hij draaide zich al half om.

'Ik praat daar liever niet meer over. Maar omdat jij het bent, wil ik het nog wel een keer herhalen: ik ben aan handen en voeten gebonden. Helaas wel.'

Nadat een grote hoeveelheid vlas gerepeld was, werden de werktuigen weer schoongemaakt en opgeborgen en werden de zaadbollen voor de volgende bewerking netjes over de dorsvloer verspreid met een houten reef, waarbij tevens het afval dat nog tussen de zaadbollen zat, eruit werd gehaald. Vlas dat nog niet geroot kon worden, werd ook nog niet gerepeld.

Het was nog lekker buiten. De laatste nazomerwarmte, wist Nele, voor de kille en eindeloos lang durende winter weer voor de deur zou staan. Maar vandaag hing er zelfs nog een broeierige warmte rond de dorsvloer. De ruggen van het werkvolk vertoonden vaak natte plekken van het zweten. Ze moesten veel drinken, maar ze waren zwaar werk gewend en wisten dat best.

Toen de zaadbollen waren opgeschoond, werden de bollen nog door een windmolen gehaald om het bladkaf dat er toch nog tussen zat, eruit te halen. Die windmolen moest met de hand gedraaid worden, net zoals bij een draaiorgel het geval was, en dat draaien moest zo regelmatig mogelijk gebeuren. Dit karweitje was saai werk en duurde meestal urenlang. Het werd doorgaans door jongens gedaan omdat dit geen zwaar werk was. Ook Bart moest een uur lang aan de windmolen draaien, hadden Gijsbert en oom Schilleman na onderling overleg bepaald, en hoewel Nele het soms naar vond haar kinderen te zien werken, begreep ze best waarom. Kinderen van arme mensen moesten altijd zo veel mogelijk meehelpen omdat elke stuiver die verdiend kon worden meer dan welkom was in de vaak grote arbeidersgezinnen. En natuurlijk, het was nuttig als haar eigen kinderen later, als ze eenmaal volwassen waren, goed toezicht zouden kunnen houden op hun eigen personeel. Maar als moeder zou ze het tweetal het liefst gewoon in de watten leggen, wat andere mensen daar ook van zouden denken.

Maar ze gaf er niet aan toe. Gevoel en verstand waren het nu eenmaal in het leven lang niet altijd met elkaar eens, en ze moest haar verstand voorrang geven, want het argument van oom was immers maar al te waar.

Het bladkaf en de bladeren die nu met elkaar het afval vormden, werden verzameld om als veevoer te worden gebruikt op hun boerderij, en het deel ervan dat ze zelf niet nodig zouden hebben, werd zoals altijd als veevoer verkocht.

Nu moesten de zaadbollen nog gebroken worden om bij het kostbare lijnzaad te kunnen komen, dat daarna opnieuw moest worden geschoond. Hiervoor werd er eerst een groot kleed op de dorsvloer uitgespreid en daarop kwam een dikke laag met zaadbollen te liggen. Vervolgens werden enkele paarden aan elkaar gestaart en die moesten achter elkaar over de zaadbollen blijven lopen, net zolang tot alle zaadbollen door hun gewicht waren gebroken. Op het eerste paard zat altijd een jongen om de dieren aan te sturen, en bijna vanzelfsprekend viel Bart dit jaar de eer te beurt dit te mogen doen – want het werd algemeen als een eer beschouwd. Om het kleed heen liepen verschillende knechten, die de zaadbollen terug op het kleed moesten scheppen als ze te ver uit elkaar gelopen werden. Overigens moest er bij dit karweitje heel goed opgepast worden dat de paarden niet onverwacht hun behoefte gingen doen. Als er paardenvijgen kwamen, konden die betrekkelijk gemakkelijk worden opgevangen op een schop. Adrie zelf lette eigenlijk alleen maar daarop, maar als er een plas dreigde, schreeuwde hij naar Bart, die de dieren dan zo snel als hij maar kon van de dorsvloer af moest zien te krijgen. Gijsbert liet nog langs zijn neus weg weten dat zijn eigen broer gewoon paard-en-wagen over de zaadbollen liet rijden, maar Adrie schudde zijn hoofd dat ze het hier altijd op deze manier hadden gedaan en dat hij dat daarom ook liever zo wilde blijven doen.

Het was Bart aan te zien dat hij ervan genoten had, en trots als een pauw liet hij zich op de koop toe door zijn moeder knuffelen.

De inmiddels gebroken zaadbollen moesten nu opnieuw door de windmolen om er het schone bolkaf uit te halen. Dit bolkaf werd in grote balen gedaan en deels opgeslagen voor eigen gebruik als veevoer en deels als zodanig aan anderen verkocht. Ten slotte bleef nu het schone lijnzaad over. Het ging nu alleen nog door een buil, een soort zeef, waardoor de laatste kluitjes grond en het onkruidzaad uit het lijnzaad werden gehaald. De buil was van zink met fijne gaatjes erin voor het afvoeren van de grond.

Tevreden bogen oom Schilleman, Gijsbert en Adrie zich met elkaar over het overgebleven lijnzaad, dat dik en glanzend was, zwaar en droog, en dus van de allerbeste kwaliteit. Een deel daarvan zouden ze volgend voorjaar zelf weer als zaaizaad gebruiken, en het overgebleven zaad kon worden verkocht. Natuurlijk was een deel van het lijnzaad van mindere kwaliteit. Dat werd door de boeren verkocht aan de olieslagerij, die inmiddels ook op stoomkracht werkte. Daar werd het zaad uitgeperst. De verkregen lijnolie was een gewild product dat onder andere als grondstof voor verf werd gebruikt. De resten van het uitgeperste zaad werden daar tevens tot koeken geperst, en die veekoeken dienden als lekkernij voor koeien, die daar allemaal dol op waren.

Vlaslint was mede een duur product omdat er zo veel arbeid in ging zitten om het vlas zo ver te bewerken dat men naast het lijnzaad het vlaslint als eindproduct overhield. Hier en daar begon men te experimenteren om de verschillende handelingen door stoommachines te laten doen, maar tot nog toe voldeden de machines niet. Het lijnzaad werd in machines dusdanig beschadigd dat het veel minder opbracht. Er was een grote vlasboer in Rijsoord, net onder Ridderkerk, waar men al met zwingelmolens experimenteerde en Nele wist dat Gijsbert daar best graag een keer rond zou willen kijken. Ook de grote vlassers in het dorp spraken daarover, maar dat dergelijke machines nog niet voldeden, was ook bij iedereen bekend.

'Ik maak me zorgen.' De ogen van moeder Los stonden erg somber en daar schrok Nele een beetje van. Ze was eraan gewend dat de vrouw boos was, maar somber, dat was iets heel anders.

Het was inmiddels begin oktober geworden. De meeste boerenarbeiders waren weer druk aan het werk op het land, waar in deze tijd de aardappelen en de bieten gerooid moesten worden. Nu er sinds enkele jaren een suikerfabriek op het eiland was, vonden veel arbeiders daar werk tijdens de bietencampagne die duurde van september tot Kerstmis, maar nooit langer. Het werk op het land kon niet worden uitgesteld, het bewerken van het vlas echter wel. Wanneer dat noodzakelijk was, werden de bewerkingen van het vlas daarom uitgesteld tot het werk op het land gedaan was. Aardappelen en bieten mochten immers niet bevriezen, dan verloren de gewassen hun waarde.

Ook bij het rooien werden soms hele gezinnen ingezet. Er waren moeders die ook hierbij de allerkleinsten in een kruiwagen meenamen naar het land. Kinderen moesten weliswaar verplicht naar school, maar daar hield men zich niet al te streng aan. Veel arme mensen konden zelf door gebrek aan onderwijs niet lezen en schrijven en zagen het nut van boekenwijsheid dan ook totaal niet in. Maar Gijsbert was hier streng in en stuurde schoolkinderen zonder pardon terug naar het dorp om daar hun lessen te gaan volgen.

Het was een natte, gure dag begin oktober. Het rooien van de aardappelen was zwaar in de natte klei. Nele zat binnen lekker bij het brandende fornuis en was net bezig geweest om samen met Mina aardappelen te schillen, toen haar schoonmoeder weer eens opdook.

Nu vader Los steeds verder achteruitging, moest ze hem vaker opsluiten in huis. Soms zag moeder Los er moe en afgetobd uit en dan kon Nele zelfs medelijden met haar hebben. Maar ze zweeg zolang haar schoonmoeder er niets over zei. Nu ze dat wel leek te gaan doen, knikte ze naar een stoel in de mooie kamer, waar ze met elkaar konden praten zonder onnodig te worden gestoord.

'Maakt u zich zorgen over vader?' vroeg Nele terwijl ze haar schoonmoeder onderzoekend aankeek.

'Het is de afgelopen maanden steeds erger met hem geworden. Hij weet inmiddels bijna niets meer, hij is meer in de war dan ooit tevoren. Steeds vaker laat hij zijn urine en zelfs zijn ontlasting gewoon lopen. Ik wil er niet onnodig over klagen, maar ik ben zelf ook de jongste niet meer.'

'U heeft dus hulp nodig, moeder? Maar hoe?'

'Gelukkig let mijn buurvrouw altijd een beetje op als ik er niet ben, anders zou ik nooit meer ergens komen en dat houdt een mens niet lang vol. Ze heeft een sleutel en gaat zo nu en dan bij hem kijken, dat stelt mij dan weer gerust. Lijsbeth komt ook regelmatig even bij mij kijken. Als het kan blijft ze een paar uur, dan kan ik proberen een poosje te gaan slapen om wat uit te rusten omdat vader zo vaak 's nachts wakker is en ik dan vanzelfsprekend ook niet aan slapen toekom. Maar ze verschoont hem natuurlijk niet. En hij kan niet meer zo ver lopen dat hij hier kan komen.'

'Adrie zou hem wat vaker met de sjees kunnen ophalen, dat is het probleem niet. Maar waar zouden we hem hier moeten opsluiten zodat hij er niet vandoor gaat, moeder?'

'Nee, dat kan ook niet. De mooie kamer is geen optie. Hij slaat regelmatig iets kapot. Het huis stinkt. En nu is hij ook lelijk gaan hoesten en hij zweet erg.'

'Heeft vader koorts?' schrok Nele. 'Zo te horen waarschijnlijk wel. Zullen we er samen eens met de dokter over gaan praten, over hoe dit met jullie verder moet?'

'Dat doen we niet! Het is geen kwestie van leven of dood. Pas dan gaat een mens naar de dokter!'

Veel oudere dorpelingen herinnerden zich nog maar al te goed de komst van de eerste dokter in het dorp. De man was destijds met grote afstandelijkheid bejegend en al snel werd hij door de meeste mannen ronduit gewantrouwd, want ze vonden de man destijds een viezerik, omdat vrouwen zich bij hem uit moesten kleden! Dat deden ze immers niet eens thuis! Zorgvuldig in nachtjaponnen kropen de vrouwen de bedstee in en dat daar een lichtje bleef branden, was ook al ondenkbaar. Veel mannen gingen daarom maar liever met hun vrouwen mee als ze naar de dokter moesten, om er toch vooral voor te zorgen dat er niets oneerbaars gebeurde. En, gniffelden sommige mensen, wat ze daar zagen hadden ze thuis nog nooit gezien!

'De dokter weet misschien hoe we beter voor vader kunnen

zorgen,' probeerde Nele de oudere vrouw alsnog over te halen. 'En dat hoestje maakt me ongerust. Vader is in de loop van de zomer nog magerder geworden dan hij al was.'

'Hij eet slecht. Het kost me soms de grootste moeite om hem pap te laten eten, wat hij vroeger toch altijd erg lekker vond. Ik moet hem voeren als een klein kind. Hij maakt van de nacht een dag en overdag slaapt hij. Daarom ben ik nu ook weer hierheen gekomen. Ik heb gewoon de deur op slot gedraaid, maar zie er heel erg tegen op om straks weer terug te moeten gaan en wie-weet-wat weer aan te treffen.'

'Als u niet mee wilt, ga ik wel alleen naar de dokter,' stelde Nele vastberaden. 'Tante Lijsbeth zal het daar vast wel mee eens zijn.'

Ze besloot het niet verder te overleggen of zelfs maar uit te stellen. Ze had, ondanks het nare verleden, toch min of meer medelijden gekregen met de uitgeputte vrouw, die momenteel zo'n beetje naar de boerderij vluchtte om wat afleiding te hebben.

Maar voor ze zich de volgende morgen om acht uur op het spreekuur van de dokter meldde, ging ze eerst langs het huisje van haar schoonouders om zelf te zien wat er nu precies aan de hand was.

Ze schrok toen ze achterom binnenkwam. Het rook er vies naar urine en uitwerpselen. Een stoel was kapot. Kapotgeslagen misschien?

Vader Los lag ongewassen en zwetend in de enige bedstee van het huis.

'Moeder, hij is heel erg ziek, lijkt me. Vader heeft duidelijk hoge koorts.'

De oudere vrouw knikte gelaten. 'Gisteren was ik het niet met je eens, Nele, maar ik besef nu ook wel dat het me inderdaad allemaal boven het hoofd is gegroeid, en wat moet er gebeuren als ikzelf ziek word?'

'Daarom ook. Wilt u echt niet meegaan?'

'Nee, ik moet hier blijven. Vader is nu echt ziek.'

'Hoelang hoest hij al?'

'Een week, eigenlijk al nadat hij verkouden is geweest.'

'Als het maar geen longontsteking is geworden, moeder. Daar ben ik bang voor.'

De oudere vrouw keek de jongere geschrokken aan. Longontsteking was heel ernstig. Veel mensen stierven daaraan.

Nele was zenuwachtig terwijl ze in de overvolle wachtkamer zat. Blijkbaar waren er veel zieken en er waren meerdere mensen die lelijk hoestten. Veel mensen hadden griep gekregen en waren daar ziek van. In arbeidersgezinnen was dat extra zorgelijk, want de kostwinner kon niet gemist worden en kreeg niets uitbetaald als hij niet werkte. En wie moest er eten koken als moeder de vrouw ziek in de bedstee lag en de kinderen nog te klein waren om voor zichzelf te zorgen?

Het duurde lang eer ze aan de beurt was, en hoewel sommigen probeerden een gesprek met haar aan te knopen terwijl ze in de wachtkamer zaten, zei Nele niet veel. Toen ze eindelijk aan de beurt was, zat ze zenuwachtig en om woorden verlegen tegenover de deftige dokter, die door de meeste dorpelingen eerbiedig 'mijnheer dokter' werd genoemd.

'Vertel het maar, in raden ben ik niet erg goed,' probeerde die haar op haar gemak te stellen.

Ze bloosde verlegen. 'Het is moeilijk, dokter. Ik zit hier namelijk niet voor mezelf. Mijn schoonvader Bart Los is erg ziek en misschien is het wel longontsteking. Ik... wij, we zouden het erg op prijs stellen als u tijd heeft om vandaag even bij hem te gaan kijken, en misschien zijn er wel medicijnen voor zijn ziekte?'

'Longontsteking kan alleen op eigen kracht overwonnen worden, juffrouw Los. Helaas hebben we geen medicijnen die dergelijke ontstekingen kunnen bedwingen.'

Ze knikte en haar kleur werd nog roder. 'Verder zou ik u willen vragen, als u er toch bent, om de toestand in huis eens goed in u op te nemen. U heeft waarschijnlijk wel gehoord dat mijn schoonvader kinds is geworden, maar hij is de laatste tijd erg achteruitgegaan. Hij bevuilt zich vrijwel dagelijks en lijkt geen verschil meer te kennen tussen dag en nacht. Mijn schoonmoeder kan de zorg eigenlijk niet meer aan, hoewel ze zo nu en dan geholpen wordt. Ik weet niet goed hoe we dat nog met elkaar op kunnen lossen.'

'Juist.' De man wreef zich nadenkend over de kin. 'Wel, eerst moet ik klaar zijn met mijn spreekuur en er zijn veel zieke mensen, dus dat zal nog wel flink uitlopen. Maar ik ga vandaag beslist nog bij uw schoonouders langs. Dat beloof ik. Misschien kan ik daarna een boodschap sturen naar de boerderij?'

'Ik zal zelf na het avondbrood nog even naar hen toe lopen om te horen wat er is besproken,' beloofde ze prompt.

Hij knikte. 'Mooi. Ik ben in ieder geval blij dat u zelf gezond bent.' Hij knikte en ze ging opnieuw blozend van verlegenheid weg. Maar ze voelde zich toch min of meer opgelucht.

Weer thuis trof ze Gijsbert in de keuken.

'Je oom is nog maar net weg,' zei hij. 'We hebben erover gesproken om, nu het repelen klaar is, zo snel mogelijk met het roten te beginnen. Het slootwater is nu nog redelijk warm en ik hoef je niet te vertellen dat het roten sneller gaat naarmate het water een hogere temperatuur heeft. Straks is het te laat en moet er met roten gewacht worden tot het weer voorjaar is.'

Ze knikte. 'Willen jullie dan morgen al beginnen?'

Hij knikte. 'Je oom heeft me meegenomen naar de bocht in de kreek die jullie al jaren gebruiken voor het roten. Het ziet er goed uit, Nele. Vanmiddag ga ik samen met Adrie alvast een stuk van het water afzetten met planken, zodat het vlas niet weg kan drijven en we zo nodig het waterpeil hoger kunnen houden dan in de rest van de kreek. Dan kan het gerepelde vlas zo snel mogelijk naar de oever worden gereden. Adrie zegt dat hij altijd degene is die met lieslaarzen aan in het water gaat staan. We zullen zien. Maar wat kijk je zorgelijk?'

Ze haalde wat onwillig haar schouders op. 'Mijn schoonvader

is behoorlijk ziek. Ik kom net bij de dokter vandaan en die gaat vandaag nog bij hem kijken. Ik ben eerlijk gezegd erg geschrokken van de toestand die ik daar vanmorgen aantrof. De arme man heeft koorts en is totaal in de war, en mijn schoonmoeder loopt zo ongeveer op haar laatste benen. Ik maak me echt grote zorgen, Gijsbert.'

Even boorden zijn ogen zich diep in haar ogen en ze wist niet of ze dat nu juist een fijn gevoel vond of dat ze het liefst weg wilde kruipen, maar één ding was wel zeker: ze werd er verlegen van.

'Denk je soms dat hij doodgaat?'

'Veel mensen sterven immers aan longontsteking? Dat weet jij net zo goed als ik.'

Hij knikte bedachtzaam. 'Misschien zou dat in dat geval uiteindelijk een genade van God zijn,' aarzelde hij toen. 'Ik bedoel, de man is geen schaduw meer van zichzelf. Wie iemand in de familie heeft die kinds is geworden, is bijna altijd bang ooit zelf ook zo te worden.'

'Geldt dat ook voor jou?'

Hij schokschouderde onwillig. 'Mijn vrouw is krankzinnig en dat is heel anders dan kinds zijn.' Ineens had hij haast om weer weg te komen. 'Elk huisje heeft zijn kruisje, Nele. Het mijne net zo goed.'

Ze bleef maar piekeren over de vraag hoe hij zich werkelijk voelde, in de ongetwijfeld heel moeilijke situatie met zijn vrouw.

13

De dokter had niet veel meer gedaan dan zijn hoofd schudden, vertelde moeder Los die avond aan Nele, toen ze zoals ze had beloofd meteen na het avondbrood naar het huis van haar schoonouders was gelopen. Het bleek inderdaad een longontsteking te zijn. Vader Los was in de afgelopen tijd bovendien niet alleen behoorlijk vermagerd omdat hij nauwelijks nog wilde eten, maar daarmee waren ook zijn krachten verdwenen. Hij was een oude man, de zeventig al gepasseerd. Moeder Los leek iets te willen zeggen en dat toch ook weer niet te doen.

'Ik heb samen met mijn buurvrouw Jannie van der Pligt vader helemaal gewassen en verschoond nadat de dokter was geweest. Dat moest, zei hij. Hij was geschrokken van de hele toestand in huis, daarover nam hij zich geen blad voor de mond. Het kostte heel veel moeite om vader in de leunstoel te krijgen, zodat we na het wassen ook het vochtig geworden stro uit de bedstee konden halen om er vers stro in te doen. Daarna was vader van uitputting min of meer buiten bewustzijn. We hebben hem heel dik ingepakt met dekens, en daarna de deur opengezet en ondanks de kou buiten een kwartier lang gelucht. Ook dat moest van de dokter.'

De stem van moeder Los klonk vlak, en in stilte vroeg Nele zich af wat ze nu werkelijk dacht en voelde. Zou ze misschien diep in haar hart opgelucht zijn als er een einde kwam aan de zware zorg voor haar man? Vader leek immers de laatste jaren al in niets meer op de man die hij ooit was geweest? Zou ze ook geen verdriet voelen als hij moest sterven? Net als zijzelf, toen ze Ger hadden begraven? Ze wist het niet. Net zomin als zij daar ook maar ooit met iemand over had gesproken – dat kon niet – zou haar schoonmoeder dat ook niet doen.

Trouwens, ze kon het begrijpen. Het moest verschrikkelijk zijn om iemand met wie je zo lang samengeleefd had, zo te zien veranderen. En Nele wist niet eens of het ooit wel een huwelijk uit liefde was geweest, maar ze vreesde van niet. Want zeker in de tijd dat die twee jong waren geweest, werden huwelijken zelden uit liefde gesloten, maar meestal uit verstandelijke of praktische overwegingen. Nu veranderde dat langzamerhand, maar niettemin moest een huwelijk nog steeds passend zijn.

Denk maar aan Joost Visser, dacht Nele cynisch. Die had feitelijk laten blijken zich net iets te goed te voelen voor Nele, maar hij had zijn oog op haar laten vallen omdat ze gezien haar situatie toch het meest geschikt zou zijn! Er was niemand anders in de juiste omstandigheden beschikbaar, zo had dat gevoeld, los van het feit dat ze inderdaad nog niet wilde nadenken over hertrouwen.

'Ik kom straks terug. Dan zal ik een poosje bij vader blijven zitten, zodat u een paar uur kunt gaan slapen,' beloofde ze. 'Daarna ga ik zelf slapen. Heeft de dokter gezegd hoelang het nog gaat duren, moeder?'

De oudere vrouw schudde haar hoofd. Ze zag erg bleek. Het was duidelijk dat ze heel erg moe was.

'Heeft u eigenlijk wel gegeten?' wilde Nele daarna weten.

De oudere vrouw schudde opnieuw haar hoofd. 'Ik heb toch geen trek.'

'U moet er wel voor zorgen om op krachten te blijven, hoor. Dit gaat misschien nog wel dagen of nog langer duren.'

'Dat is niet te hopen. Hij heeft het zo benauwd en als hij wakker is – of bij kennis komt, wie zal zeggen wat het is – dan kunnen zijn ogen mij zo wanhopig aankijken. Nu het zover is gekomen, kunnen we alleen maar bidden dat de Here hem zo snel mogelijk thuis zal halen.'

'Ik maak een boterham voor u klaar,' besloot Nele eigengereid. 'U moet iets eten, en ik ga nog even naar huis om wat spullen te halen voor de nacht. Ik stuur Adrie meteen langs bij oom Schilleman en tante Lijsbeth. Samen met tante en ons beiden kunnen we bij vader waken zolang dat nodig is.'

Allerlei gedachten dwaalden door haar hoofd toen ze terugliep naar de boerderij. De wandeling door het donkere landschap deed haar goed, besefte ze.

Dus vader Los ging sterven. Maar inderdaad, moeder had gelijk, soms kon de dood een verlossing betekenen. Zelf was ze niet bang om de dood van dichtbij mee te maken, ze had dat immers al vaker meegemaakt. Het was fijn om nog even stilte om zich heen te hebben en ruim adem te kunnen halen.

Thuis aangekomen trof ze Adrie en Gijsbert aan, die stonden te overleggen over het roten. Ze hadden die middag zoals ze al van plan waren een stuk van de kreek afgezet met planken. Adrie wilde de volgende morgen meteen al beginnen met het naar het water rijden van de boten vlas, die daarvoor gestapeld tegen de schuur gereedstonden. Het water in de sloot was nog redelijk op temperatuur en hoe warmer het water was, des te sneller het rottingsproces ging. Zonder roten kon de vlasstengel niet gebroken worden om de kostbare vezels die het vlaslint vormden, van de halmen te scheiden.

'Nele?'

Gijsbert keek haar vragend aan, en net als haar schoonmoeder even tevoren kon ze niet meer doen dan lichtjes haar schouders ophalen.

'Het is longontsteking en het gaat aflopen. Ik kom wat spullen pakken en tegen Mina zeggen dat ze voor de kinderen moet zorgen zolang dat nodig is. Adrie, wil jij straks nog naar mijn oom en tante rijden om te zeggen dat vader op sterven ligt?'

De knecht knikte. 'Ik span Bruin wel voor de sjees en zal je oom en tante zelf naar het dorp rijden.'

'Ik ga zo meteen weer terug. Mijn schoonmoeder had nog niets gegeten en is uitgeput. Ze moet een paar uur slapen, en ik weet dus niet hoe het gaat lopen en wanneer ik weer terug ben.'

De knecht verdween om meteen Bruin in te gaan spannen. Gijsbert keek haar onderzoekend aan. Het was aardedonker buiten, nu de lucht bewolkt raakte en zelfs de maan zich niet meer liet zien.

'Ik wacht op je en loop met je mee naar het dorp,' besloot hij.

'Gaat het wel, Nele?'

Ze knikte. 'Dat moet wel, hè? Ik ben zo terug.'

Een kammetje en een waslap en voor alle zekerheid een schone onderbroek voor als het een paar dagen ging duren, meer had ze niet nodig. Ze knuffelde haar kinderen, die waren geschrokken van het bericht dat hun opa ging sterven.

'Gaat hij naar de hemel?' vroeg Sofie.

'Dan ziet hij vader weer,' dacht Bart praktisch.

Daarna rechtte Nele haar rug om weer te vertrekken. Met haar omslagdoek om zich heen getrokken stond ze even later weer buiten. Gijsbert wachtte al op haar en dat voelde toch wel veilig. Het kwam niet vaak voor dat iemand zich zorgen maakte om haar welzijn, dacht ze een tikje cynisch.

Ze kwamen nauwelijks mensen tegen en ze zwegen tot ze bijna bij het dorp waren. Maar de stilte was niet onplezierig, besefte Nele. Graag had ze haar arm door die van Gijsbert gestoken, maar dat durfde ze niet. Iemand zou het kunnen zien en er dan wat van denken.

'Pas een beetje op jezelf,' begon hij toen ze bij de eerste huizen waren aangekomen.

'Dat zal ik doen.'

'Vind je het naar om bij een sterfbed te moeten waken?'

'Ik heb het al eerder meegemaakt, met mijn ouders. En dit voorjaar met Ger, maar ach, hij was al dood toen hij in de bedstee kwam te liggen. Hij heeft geen moeizaam sterfbed gehad. Hij viel en was op slag dood.'

'Wel, we zullen hopen dat die arme man het ook niet al te zwaar zal hebben,' zei hij. Toen vervolgde hij aarzelend: 'Nele, ik moet je iets zeggen.'

Ze stond stil en keek hem vragend aan.

'Ik kreeg vandaag weer een brief. Het ging over mijn vrouw.'

Hij fluisterde bijna, en ze begon een beetje te trillen. 'Je vrouw? Wil ze toch nog bij je komen wonen?'

Was dat nu een schamper lachje dat om zijn lippen kroop?

'Dat zal niet gaan. Ze komt nooit meer uit het dolhuis.'

'Is ze er zo erg aan toe?'

Hij knikte. 'Krankzinnigheid is verschrikkelijk, Nele. Ik praat er niet graag over en ook niet vaak. Ze is bovendien erg zwaarmoedig. Ze heeft opnieuw – en dat is al de vijfde of zesde keer, voor zover ik weet – geprobeerd om zichzelf van het leven te beroven. Ditmaal door verstikking. Ze had een stuk touw te pakken gekregen, niemand weet hoe, en dat om haar nek gebonden. Ze wilde zichzelf ophangen, maar ze hebben haar toch weer op tijd gevonden.'

Ze was geschokt en wist niet goed wat ze moest zeggen. 'Maar dat is verschrikkelijk. Ik schrik ervan, Gijsbert.'

Hij knikte. 'Misschien had ik het niet uitgerekend op dit moment moeten vertellen.' Hij leek erg van streek.

Ondanks dat ze gezien konden worden, pakte ze zijn hand. 'Je bent een sterke man. Dit moet vreselijk voor je zijn.'

Hij schokschouderde. 'Dat is waar. Zo erg dat ik heel soms stilletjes hoop dat het haar op een dag lukt. Niet voor mezelf, maar het is een ondraaglijk leven dat ze leidt. Ikzelf ben er min of meer aan gewend geraakt. Ik ben immers al jaren alleen en toch ook weer niet. Ik ben getrouwd en toch ook weer niet en... Het spijt me, Nele, ik moet je niet hiermee lastigvallen, zeker niet op een moment als dit.'

Ze haalde diep adem. 'Vader Los gaat sterven en het mag misschien niet worden gezegd, maar dat de dood ook in een geval als dit als een verlossing komt, lijkt me vast te staan. We praten er nog over, Gijsbert, als dit allemaal achter de rug is.'

Hij knikte en beende alweer weg. Zag ze nu tranen in zijn ogen?

Het duurde nog twee dagen en twee nachten. Om beurten en soms met elkaar zaten de drie vrouwen bij het sterfbed van vader Los. Gesproken werd er nauwelijks. In de leunstoel van haar man zat moeder Los met een strak gezicht voor zich uit te staren, terwijl ze niet in staat was om veel te doen. Zelfs tante Lijsbeth scheen niet te kunnen peilen wat haar zuster op dat moment dacht en voelde. In de bedstee van de mooie kamer lag vader Los te worstelen om adem te kunnen halen. Er was een strobed gemaakt op de zolder, waarop de anderen om beurten een paar uur probeerden te slapen. Buurvrouw Jannie bracht tegen het middaguur een pan met warm eten, zodat ze warm konden eten zonder zelf te hoeven koken. Mina kwam zo nu en dan kijken of ze ook iets kon doen, en zorgde soms voor koffie of thee.

De laatste uren van vader Los waren zwaar, maar uiteindelijk was de polsslag nauwelijks nog voelbaar en kwam de adem oppervlakkig met soms lange tussenpozen.

'Het duurt nu niet lang meer,' troostte tante Lijsbeth. En ze had gelijk.

Op de derde dag, net tegen het ochtendgloren, stopte de adem zo lang, dat ze elkaar aankeken. 'Ik geloof dat het voorbij is,' zuchtte moeder Los.

Toen kwam er toch nog een laatste, vederlichte ademteug, voor het voorgoed stil bleef.

In de dagen dat Nele weg was geweest, was men alvast begonnen met het vlas op hoeve Sofie naar de rootsloot te rijden en waren Gijsbert, Adrie en een aantal knechten bezig geweest om de boten vlas in keurige rijen in het water te leggen.

Vlas roten gebeurde meestal in sloten of open water, waar het niet te diep moest zijn en waar het liefst een modderige bodem was. Vroeger werd het vlas gewoon op het land uitgespreid om in de dauw te rotten. Zo gebeurde het heel vroeger al in de tijden van het oude Egypte, en ook stond er immers in de Bijbel dat Mozes in de tabernakel, die hij in opdracht van God moest maken, kleden van getweernd fijn linnen moest gebruiken.

Dit dauwroten werd hier niet langer toegepast. Van waterroten werd het vlaslint zachter en fijner en dat leverde voor de boeren immers een betere prijs op. Daar stond wel tegenover dat waterroten meer arbeid vroeg en daardoor ook duurder was.

Sloten waarin vlas werd geroot, moesten niet te smal zijn en het liefst ook niet te hoge oevers hebben, want dat maakte het werk zwaarder. Het in het water leggen van de vlasboten gebeurde door een paar man. Een of twee mannen stonden in de sloot met lieslaarzen aan om droog te blijven. De vlasboten werden ten slotte verzwaard met modder, want het gewas moest natuurlijk wel onder water blijven en er niet bovenop blijven drijven. Het vlas moest zinken tot het net onder water lag. Omdat de sloot was afgezet, kon er zo nodig tijdens het roten extra water in de sloot geschept worden zodat het vlas niet droog zou komen te liggen. Gijsbert en Adrie gingen daarom elke dag bij de rootsloot kijken om het waterpeil te controleren.

Meestal duurde het roten twee weken. Bij koud weer – en dus ook koud water – kon dit tot wel drie weken uitlopen. Maar was het water nog redelijk warm, dan duurde het roten korter. Daar moest goed op gelet worden. Niet alleen het weer, ook de kwaliteit van het vlas zelf was belangrijk. Onder invloed van het water en het rottingsproces begon alles vreselijk te stinken. Al snel roken de mensen tot in de wijde omgeving die vieze lucht. Tegelijkertijd verkleurde het vlas in het water tot het blauw was. Gek genoeg probeerden koeien, als ze er de kans voor kregen, van dit stinkende rootwater te drinken. Ze schenen het lekker te vinden.

Nele kreeg er dit jaar niet veel van mee. Het huis was in de rouw zoals het hoorde: luiken dicht, klokken stilgezet en de spiegels omgekeerd. De timmerman was bij moeder Los langsgekomen om de maat te nemen voor de kist, die al enkele uren later werd gebracht. In de mooie kamer van het huis waar hij ook was gestorven, werd de oude Bart Los afgelegd en opgebaard, waar Nele vanzelfsprekend bij moest helpen. Moeder Los zei nog steeds niet veel, en ondanks dat ze nu eindelijk uit kon gaan rusten, bleef ze bleek zien en bleef haar gezicht strak staan.

De kerkklokken beierden een paar dagen later somber over het dorp, toen de oude man werd begraven. Adrie en Gijsbert zaten op de bok van de paard-en-wagen waarop de kist van vader Los was gezet. Moeder Los had erop gestaan dat ze eerst met hun droevige last naar hoeve Sofie zouden rijden voor een rondje over het erf. Daar wachtten Nele met haar kinderen, oom en tante, maar ook moeder Los zelf op zijn afscheid van de boerderij waar hij jarenlang de scepter had gezwaaid. Ze werden omringd door knechten en meiden en ook buren.

Daarna reed Adrie met de paard-en-wagen weer van het erf af. Vader Los had voor altijd afscheid genomen van de boerderij.

Moeder Los liep direct achter de paard-en-wagen, tussen haar zuster Lijsbeth en zwager Schilleman. Achter hen liep Nele met haar zoon en dochter. Daarachter kwamen buren, werkvolk en onderweg sloten zelfs andere belangstellenden zich bij de rouwstoet aan. Al die tijd luidden de kerkklokken. Daarvoor moest overigens extra worden betaald, net zo goed als voor het zwarte doodskleed van de kerk, dat de kist afdekte tijdens die laatste reis. Als ze langs huizen kwamen, waren daar uit eerbied voor de overledene de luiken gesloten of, als het huis geen luiken had, waren er witte beddenlakens voor de ramen gespannen.

Het was kil in de kerk, die door de vele belangstellenden toch nog redelijk gevuld was. Sommige vrouwen probeerden een beetje warm te blijven door stoven onder hun voeten, waarin in een aardewerken test gloeiende kolen waren gelegd.

Nele voelde de kou niet, ze voelde zich... tja, hoe voelde ze zich eigenlijk? Ze kon het niet zeggen, maar ineens leek het net alsof het pas gisteren was geweest dat ze hier ook had gezeten om Ger te begraven. Zou moeder Los zich ook zo voelen, vroeg ze zich af. Je kind moeten begraven was immers heel erg, maar veel vrouwen maakten het mee, want sterfte onder jonge kinderen kwam vaak voor.

Toen de dienst eindelijk voorbij was, werd de kist het kerkhof op gedragen. Er was een graf gegraven direct naast het graf van zijn zoon, waarin vader Los zou komen te rusten en waarin later, als haar tijd eveneens gekomen was, ook moeder Los ter ruste zou worden gelegd.

De dominee sprak aan de rand van het graf nog het Onze Vader uit. Nele dacht sterk terug aan die dag in maart. Toen had ze niet hoeven huilen. Nu evenmin. Moeder Los huilde ook niet, ze zei niets en leek nog het meest op een wassen pop, dacht Nele.

Toen het voorbij was, er veel handen waren geschud en ze eindelijk weer in het huis van moeder Los zaten, had de buurvrouw voor koffie en krentenbrood gezorgd. Dominee wenste de weduwe sterkte en oom Schilleman ging voor in gebed.

Het was al aan het einde van de sombere middag toen Nele en haar kinderen, maar ook het personeel van hoeve Sofie, allemaal mee terugreden naar de boerderij in de boerenkar waarop die middag nog de kist had gestaan.

Die avond lag Nele opnieuw lang wakker, al begreep ze zelf niet goed waarom.

14

Het luisterde nauw om het juiste tijdstip te bepalen wanneer het vlas voldoende geroot was. Dat deden oom Schilleman, Gijsbert en Adrie dan ook in onderling overleg met elkaar.

De dag waarop ze vaststelden dat het rottingsproces voldoende was gevorderd, werd meteen begonnen het vlas vanuit de sloot weer op de kant te krijgen. Adrie stond met zijn lieslaarzen in de sloot, samen met een andere knecht die al jaren voor hoeve Sofie werkte. Beide mannen staken de boten vlas weer op de kant, nadat ze er eerst de ergste modder weer vanaf hadden gespoeld. Het was prettig dat hier een lage oever was, dan hoefden ze hun zware vracht niet al te hoog op te steken en dat maakte het werk ietsje lichter. Want in die stinkende sloten staan, daar hadden de meeste mannen weinig trek in. Als hun kleren nat werden – wat eigenlijk onvermijdelijk was omdat de drijfnatte boten zo lekten – en ze trokken aan het einde van de dag hun kleren uit, dan waren die zo stijf dat ze bijna uit zichzelf overeind konden blijven staan. Ze werden in een schuur aan een spijker gehangen omdat de lucht ervan in huis niet te harden was. De arbeiders die dit werk deden, trokken niettemin de volgende dag de 's nachts opgedroogde werkkleding zo weer aan.

Al het vlas werd eerst op de kant gelegd zodat het meeste water eruit kon lekken, en zodra al het vlas weer uit het water was gehaald, werden de planken die het water hadden afgedamd weer weggehaald, zodat het stinkende water zichzelf kon verversen. Maar het rootwater liep daarmee tegelijkertijd door alle andere sloten de polder in.

Zodra het vlas voldoende was uitgelekt, moest het over een weiland verspreid worden. Daarvoor haalde Adrie de slikslede van stal en spande hij er drie sterke boerenpaarden voor. Iedereen moest meehelpen met het verspreiden van het vlas. Drie boten vlas werden tegen elkaar aan leunend overeind neergezet, de zogenaamde 'kegels', tot het hele weiland vol stond. Als het dan eerst een paar dagen regende, vonden boeren dat helemaal niet erg, integendeel juist, want dan spoelde het hemelwater de overgebleven resten modder van het vlas af. Van het regenwater werd het vlas bovendien zachter. Maar daarna hoopten ze wel degelijk op zon en wind om het vlas te laten drogen.

Om de paar dagen moest al het vlas weer worden geschud en gekeerd om het drogen zo goed mogelijk te laten verlopen. Als de kegels vlas ten slotte droog waren, kon het vlas teruggereden worden naar de boerenschuur voor de laatste bewerkingen: het braken en het zwingelen.

Een paar weken na de begrafenis van haar schoonvader was Nele op een zonnige dag naar het weiland gelopen om naar de kegels vlas te kijken. Een prachtig gezicht vond ze dat: de zon die erop scheen, al die rijen kegels die een goede opbrengst van de gewassen beloofden. Ze genoot ervan, maar tegelijkertijd was ze zich ook van nieuwe zorgen bewust. Moeder Los was twee dagen na de begrafenis al vroeg naar hoeve Sofie toe gekomen en daar bijna de hele dag gebleven. Wel, dat kon Nele best begrijpen. De vrouw had immers van de ene op de andere dag nauwelijks nog iets omhanden, nu de zware taak om voor haar man te zorgen niet langer nodig was. Ze voelde zich waarschijnlijk erg alleen en misschien ook wel een tikje nutteloos, dus het was helemaal niet erg als ze weer regelmatig op de boerderij kwam.

Maar daarna had ze geen dag meer overgeslagen. Ze bemoeide zich weer net als vroeger overal mee, en was bovendien niet karig met neerbuigende kritiek. Opnieuw: net als vroeger. Niet alleen Nele, maar zelfs Gijsbert, Adrie en zijn vrouw kregen ruimschoots de volle laag. Het drukte de sfeer op de boerderij. Nele had het er al voorzichtig met oom Schilleman over gehad, maar die wist er ook geen raad mee en had haar aangeraden moeder Los eerst maar een beetje te laten betijen en gezegd dat ze zich er gewoon niet te veel van aan moest trekken.

Maar lang zou dat niet goed gaan, dat besefte Nele terdege. Niet alleen vanwege zichzelf, maar als moeder Los ook andere mensen het slachtoffer liet worden van haar scherpe tong, moest er op een gegeven moment weer ingegrepen worden, en de enige die dat kon doen, was immers zijzelf. En, eerlijk is eerlijk, daar zag ze als een berg tegen op, omdat ze nu eenmaal van nature een mens was die graag de lieve vrede bewaarde.

Ze liet de zon op haar gezicht schijnen en probeerde tot een beslissing te komen over hoe ze dat het best kon aanpakken, zonder op het moment te wachten dat de maat helemaal vol was en ze bij wijze van stoom afblazen totaal verkeerde dingen tegen moeder Los zou gaan zeggen.

'Geniet je ervan?' klonk het ineens achter haar.

Ze herkende de stem uit duizenden. Ze had hem niet aan horen komen, en draaide zich betrapt om.

'Wat doe jij hier?'

'Naar het vlas kijken, net als jij,' grinnikte Gijsbert onbekommerd, maar toch lag er een blik in zijn ogen die haar onrustig maakte. Zijn ogen lachten niet mee, besefte ze. Er zat hem overduidelijk iets dwars, en behoorlijk dwars ook.

'Het vlas staat er goed bij. De arbeiders zijn nu overal bezig de aardappelen en de bieten te rooien, en het zwingelen kan wachten tot dat werk is gedaan.' Haar stem klonk neutraal.

'Je mag er trots op zijn hoe jij je de afgelopen zomermaanden hebt gehouden, Nele. De oogst is bijna binnen. De veel rustiger wintertijd staat nu voor de deur, en de opbrengsten beloven er goed uit te zien. Je man zou het er niet beter afgebracht kunnen hebben.'

Ze bloosde bij het compliment. 'Het weer en andere belangrijke factoren kan een mens niet regelen, Gijsbert. Dat komt letterlijk van Boven.'

Hij glimlachte. 'Toch heb ik er bewondering voor.'

Ze beet ongemakkelijk op haar lip. Ze was niet erg gewend aan complimenten, dacht ze nog. 'Dankzij de hulp van oom en tante en vooral van jou.'

'Het is voor mij goed om weer terug te zijn op het boerenland.

Ik wil hier blijven tot de jonge Bart zeventien of achttien is geworden en het verder zelf wel kan. Het is een pientere knul en hij is net als jij geduldig en begripvol. Sofie lijkt me driftiger, en de mensen zeggen dat haar vader dat ook was.'

'Ze heeft soms inderdaad een scherpe tong.'

'Wel, daar hebben meer familieleden last van,' reageerde hij op droge toon.

'Bedoel je dat ik soms ook onaardig ben?' vroeg ze geschrokken.

'Malle, ik bedoelde die heks van een schoonmoeder van je. Wie anders, Nele?'

Ze schoot in de lach. 'Nu, gelukkig dan maar. Ik stond juist te overdenken dat ik haar binnenkort tot de orde moet roepen en ik weet niet goed hoe ik dat moet doen.'

'Wees gewoon eerlijk en spreek vanuit je hart. Daar kom je het verst mee.'

'Ze voelt zich alleen en overbodig.'

'Dat zal best, maar haar onvrede daarover hoeft ze niet zo uitgebreid en op harde toon uit te spreiden over iedereen die maar in haar buurt komt. Ze stoot de mensen juist verder van zich af en dat zal alleen maar leiden tot meer eenzaamheid.'

Ze keek hem recht in de ogen. 'Dat zeg je mooi. Dat moet ik haar proberen duidelijk te maken. Een beetje begrip voor anderen en ook eens iets aardigs zeggen, zal haar uiteindelijk het meest opleveren. Maar dat lukt alleen als mensen zich niet langer meteen uit de voeten maken als ze bij haar in de buurt komen.'

Ze glimlachte naar hem en hun ogen haakten zich in elkaar. Meteen daarop deed hij letterlijk en figuurlijk een paar stappen bij haar vandaan.

'Wel, succes ermee dan. Ik moet weer...'

'Gijsbert, wacht even. Wat is er aan de hand?'

'Waarom zou er iets aan de hand zijn?' Nu klonk zijn stem stug en zijn ogen kregen een afwerende uitdrukking.

Gek, dat ze hem inmiddels zo goed kende dat ze dat zag, schoot het door haar hoofd. 'Ik voel het, vraag me alsjeblieft niet hoe.'

Hij schokschouderde. 'In mijn leven gebeuren soms heftige dingen, waar ik maar beter niet over praten kan.'

Ze begreep het. 'Heeft het weer te maken met je vrouw?'

Een weerbarstig bewegen van zijn schouders en een mond die nog het meest op een dunne streep leek, was zijn reactie. Maar zo kon ze hem niet laten gaan. Toen hij weg wilde lopen, greep ze hem razendsnel bij zijn mouw.

'Toe Gijsbert, ik weet immers dat ze eigenlijk ziek is, krankzinnig is en al jaren in het dolhuis zit opgesloten.'

Hij aarzelde. 'Ik ga er hier niet over praten.'

'Dan hoop ik dat je dat vanavond of zo wel wilt doen. Een mens moet zo nu en dan zijn hart kunnen luchten. Zelfs sterke kerels zoals jij dat bent, hebben dat nodig, om er zelf niet gek van te worden.'

'Ik ben niet gek en geloof me, dat is iets heel anders.'

'Het spijt me. Ik geloof je zonder meer, maar pas een beetje op jezelf. En je weet dat ik er verder met niemand over zal praten.'

Weer haakten zijn ogen zich in die van haar. 'Goed dan, dat zal ik in gedachten houden. Maar nu moet ik hoognodig weer aan de slag.'

Hij beende weg en ze wist niet of hij haar ooit nog volledig in vertrouwen zou nemen. Maar terwijl ze terugliep naar de boerderij, zette ze de gedachte aan Gijsbert resoluut van zich af. Iemand moest met moeder Los gaan praten en dat was haar taak.

Toen ze weer binnenkwam, katte de oudere vrouw juist Mina af. Ze bakte het spek niet goed uit, beweerde ze, terwijl Mina met een geërgerde rode kleur probeerde de op hatelijke toon gesproken opmerkingen naast zich neer te leggen.

'Moeder, komt u even mee naar de mooie kamer? We hebben iets te bespreken,' zei Nele nogal kortaf.

'Het gaat zeker over het vlas? Je moet weten dat ik het er helemaal niet mee eens ben dat...'

‘Moeder!’ Nele viel haar in de rede, en de ander moest door de blik in de ogen van Nele begrepen hebben dat haar schoondochter boos was. Ze zweeg en Nele sloot de deur achter zich.

‘Gaat u zitten, moeder. Ik heb u iets te zeggen. Zoals het nu gaat, kan het niet langer. Er zitten me twee dingen dwars. Ten eerste: u bent te vaak hier.’

‘Hoe komt je erbij! Het is míjn boerderij en iedereen lijkt te vergeten dat…’

‘Moeder! De boerderij is straks van Bart, en oom Schilleman en ik passen er alleen maar zolang op tot hij oud genoeg is om zelf de beslissingen te kunnen nemen die nodig zijn. Oom en Gijsbert van Damme leiden hem in de komende jaren op, zodat Bart dat punt zo snel mogelijk bereikt. De jongen is inmiddels negen! Er gaan daarom nog wel een paar jaar voorbij voor hij zover is.’

‘Precies, en tot die tijd…’

Ze viel haar schoonmoeder opnieuw in de rede om te voorkomen dat er een tirade zou losbarsten.

‘Tot die tijd kunt u een liefhebbende grootmoeder zijn, als u daar moeite voor wilt doen, en in die hoedanigheid zult u hier meer dan welkom zijn. Maar u moet er liever wel voor zorgen dat er iets anders komt om de leegte te vullen die het sterven van vader ongetwijfeld heeft achtergelaten.’

‘Bepaal jij soms wat ik moet denken of doen?’

‘Nee moeder, maar u loopt hier rond als een boosaardige heks, en iedereen probeert u te ontlopen vanwege die scherpe tong en de vele hatelijkheden die u uitstort over wie er dan maar voor uw voeten komt.’ Zo, dat was eruit!

Even bleef het stil aan de andere kant. ‘Maar…’

‘Luister, moeder. Natuurlijk kunt u zo door blijven gaan. Dan zal iedereen u zo veel mogelijk proberen te ontlopen en ik zal u buiten de deur gaan houden, want ik wil mijn kinderen niet zo opvoeden. Dan bent u zelf de grootste verliezer, en ik zou het heel erg op prijs stellen als u hier eens goed over na wilt denken, want het is bedoeld als goede raad. Praat bijvoorbeeld eens met de vrouw van de dominee. Er is veel goed werk te doen, want er zijn veel arme gezinnen in het dorp. Het zou uw dagen weer kleur en inhoud kunnen geven, door iets goeds te doen voor een ander. En probeer eens wat vriendelijke woorden over uw lippen te krijgen. Heus, met stroop vangt men meer vliegen dan met azijn, zo heb ik dat vroeger al van mijn eigen moeder geleerd. Het is niet altijd gemakkelijk, maar het is wel waar. Ik kan u nu even lelijk uit gaan foeteren zoals u mij dat het liefst zou willen doen, maar dan lopen we elkaar boos en geërgerd voor de voeten en bent u straks niet langer welkom hier. Dat is toch ook niet wat u wilt?'

De mond van de oudere vrouw was open gezakt.

'De brutaliteit!' klonk het met lage stem.

Nele begreep het wel en dacht niet dat haar schoonmoeder ooit eerder in haar leven zo duidelijk was gezegd wat er van haar gedacht werd.

'Kom moeder, Mina is bijna klaar met het eten. Vanzelfsprekend eet u met ons mee, maar daarna gaat u thuis uw middagdutje doen en eens grondig nadenken over de dingen die ik net – overigens met de beste bedoelingen van de wereld – heb gezegd.' Ze deed de deur weer open.

'Maar...'

'Alstublieft, moeder,' reageerde Nele en een dwingende blik hielp blijkbaar voldoende, zodat ze gevolgd werd en de ander met een strak en boos gezicht aan tafel ging zitten op haar vaste plek. Maar in ieder geval hield ze op dat moment haar mond dicht. Nele vroeg zich stilletjes af voor hoelang.

Toen moeder Los de volgende morgen al voor de eerste schaft toch weer in de keuken verscheen, wist Nele niet of het ook maar iets geholpen had wat ze de vorige dag allemaal in de mooie kamer had gezegd.

Om haar schoonmoeder te ontlopen en een nieuwe confrontatie te vermijden, zei ze tegen Mina dat ze koffie en thee tekortkwamen en dat ze naar het dorp zou lopen om dat te gaan halen.

De meid wist evengoed wel dat het een smoes was, maar ze knikte slechts.

Even later liep Nele genietend van de najaarszon over de dijk naar het dorp. Even vrij, zo voelde dat, grinnikte ze in zichzelf.

In de kruidenierswinkel kwam ze niet vaak, omdat de boodschappen altijd in het boekje werden opgeschreven en dan thuisgebracht werden, maar nu had ze er een gezellig praatje, en de vriendelijke manier waarop ze geholpen werd, deed haar meer dan goed.

Niettemin stond ze een kwartiertje later weer buiten en ze liep op haar gemakje terug naar de boerderij. Niet veel later werd ze echter staande gehouden door Aleid Visser.

'Wat een hoogmoed, mijn broer weg te sturen,' begon deze meteen op harde toon.

Nele was op haar hoede. 'Ik begrijp niet goed wat je bedoelt,' hakkelde ze overrompeld.

'Mijn broer deed je de eer aan om bij je langs te komen met een zekere bedoeling. Je moet begrijpen...'

'Wacht eens even, Aleid. Ja, je broer Joost is inderdaad twee keer op een zaterdagavond op de koffie geweest. Iedereen weet dat jij hem helpt sinds zijn vrouw is overleden, en het is ook logisch dat hij wil hertrouwen, maar ik ben nog niet zover dat ik daar ook over na wil denken.'

'Wie denk je wel dat je bent? Mijn familie...'

'Ik weet het, jullie behoren tot de belangrijkste families van het dorp. Er zijn maar enkele grote vlasboeren zoals jouw vader en zijn broers dat zijn, maar Joost kan beter een andere vrouw zoeken. Zoals ik al zei, ikzelf ben nog lang niet zover. Ik ben amper een halfjaar weduwe!'

'Je schoonmoeder vond het vreselijk. Eerst Hokke voor wie je je neus ophaalde, terwijl je daar al blij mee had moeten zijn, zeggen de mensen. En dan nu Joost ook nog. Gelukkig zingt dat niet rond in het dorp.'

'Nu, laten we dan maar hopen dat dat zo blijft. Ik moet hoognodig weer verder. Dag Aleid.'

De blik in de ogen van de andere vrouw was strak. Ach, er was een tijd geweest waarin Aleid graag met Ger Los had willen trouwen, maar dat was niet gebeurd en óf er was nooit meer een ander voor haar gekomen, óf ze wilde geen gelukszoeker hebben die er alleen maar aan dacht dat ze uit een welgestelde familie kwam.

Maar Neles plezier was toch voor een groot deel verdwenen, en ze zag er nu zelfs een tikje tegen op om weer naar de boerderij terug te gaan.

Mina was bezig om groente schoon te maken. Keetje was op het land waar de aardappelen werden gerooid. Ze zag in de verte arbeiders, maar ook vrouwen en kinderen soms gebukt en soms ook op hun knieën in de klei zitten om de aardappelen uit de grond te halen.

'Is mijn schoonmoeder naar het veld gelopen om te gaan kijken?' vroeg Nele toen het onverwacht stil en vredig bleek te zijn in de grote, lekker warm gestookte woonkeuken van de boerderij. Ze borg de koffie en de thee op.

'Ze zit in de mooie kamer te haken,' fluisterde Mina, alsof ze bang was dat de ander het kon horen en dan meteen weer naar de keuken zou komen om op iedereen te vitten.

'Toe maar!' Ineens voelde Nele zich bevrijd. Misschien, heel misschien, had het gesprek van de vorige dag iets geholpen? Maar ze besefte tegelijkertijd dat moeder Los, al probeerde ze mogelijk daadwerkelijk haar leven te beteren, nog vaak genoeg terug zou vallen in de oude gewoonte die ze al zo lang had.

Toen het tijd was voor het eten, prees ze het haakwerkje van moeder Los uitgebreid. Dat was nog gemeend ook, want moeder Los kon prachtige kleedjes haken van dunne katoen, maar ze had er zich de laatste jaren nauwelijks nog tijd voor gegund.

Na een klop op de deur van het zomerhuis stapte Nele daar die avond tegen acht uur naar binnen. Haar hart klopte onrustig. Gijsbert was vandaag nogal stil geweest. Ze wist dat hem iets dwarszat en wist ondertussen best dat het verband hield met zijn vrouw, maar ze was er niet zeker van of hij er veel over wilde zeggen.

Hij zat aan de tafel in het midden van de kamer, met de brandende olielamp boven zich, en was bezig iets uit hout te snijden. Ze schoot in de lach toen ze zag dat het een hond was.

'Hij lijkt op Bobbie.'

Gijsbert glimlachte. 'Het is een leuk beest, Nele.'

'En hij is gek op jou. Hij volgt je overal over het erf. Als we hem kwijt zijn, weten we dat hij bij jou is.'

Hij knikte. 'Gezellig, een hond. Luistert altijd naar je, is blij met je en zegt nooit vervelende dingen terug.'

'Neem er zelf een.'

'Zodra ik weer mijn benen onder een eigen tafel kan steken, doe ik dat zeker.'

'Heb je het gevoel dat je bij ons alleen maar in de kost bent?' vroeg ze geschrokken.

'Goed beschouwd is dat zo. Tussen de middag eet ik met jullie mee. Mina doet de was, maar verder zorg ik het liefst voor mezelf. Ik ben blij dat ik in het zomerhuis kan wonen, Nele. Dan heb ik toch weer een plek voor mezelf.'

'Het stelt niet veel voor.'

'Alle arbeidershuizen kennen weinig ruimte en weinig comfort. Maar dat vind ik niet belangrijk. Het is fijn toch een plek te hebben waar ik me terug kan trekken.'

'Ben je zo graag op jezelf?' vroeg ze nieuwsgierig.

'Best wel, maar het kan ook eenzaam zijn.'

'Hoelang... Ik bedoel... hoelang ben je eigenlijk al getrouwd?' Ze had er een stoel bij getrokken en was ongevraagd tegenover hem aan de tafel gaan zitten. Ze keek naar zijn handen die vaardig het mesje hanteerden en met zekere bewegingen verder sneden aan de hond die hij aan het maken was.

'Ik trouwde vijftien jaar geleden. Ingetje was toen al wat labiel, maar ze was ook nog jong. Negentien, ik eenentwintig. Ach, het zal bij jou niet veel anders zijn gegaan. Haar familie was van dezelfde kerk als de onze, we kenden elkaar wel zo'n beetje, je wordt verliefd en voor je het goed en wel beseft, wordt het allemaal serieus genomen en wordt er getrouwd.'

Ze knikte. 'Dat wordt nu eenmaal van jonge mensen verwacht. Op eigen benen staan, een gezin stichten.'

'Precies. Ik heb me pas veel later afgevraagd of het wel echte liefde was, en dan is het te laat. We moesten twee jaar wachten op een zwangerschap. Toen ging het eerst nog twee keer mis, maar uiteindelijk kwam de dag dat ons kind geboren werd.' Hij zweeg en zijn ogen keken van Nele weg. 'Hij heeft maar heel kort geleefd. Daarna is Ingetje nooit meer de oude geworden. Ze zat in de put, om het nog mild uit te drukken. Op een dag liep ze de Binnenmaas in vanaf een strandje. Ze hebben haar er nog net op tijd uit kunnen halen. Maar jaren van veel ellende later heb ik mij in alle eerlijkheid weleens afgevraagd of ze beter niet... Ik mag het niet eens uitspreken. Het is een triest leven, Nele, dat van mijn vrouw. Soms ging het even beter, dan was ze ineens weer volledig de weg kwijt. Ze zei het één en deed het ander, was volkomen onberekenbaar geworden. Een paar jaar lang heb ik geprobeerd er het beste van te maken.

Toen kwam de dag dat ze het huis in brand stak.' Zijn stem trilde. Hij zweeg een hele tijd en Nele durfde geen enkel geluidje, geen enkele beweging te maken. 'Alles was weg. We hadden helemaal niets meer, behalve de kleren aan ons lijf. Zijzelf werd opnieuw op het nippertje gered, maar toen was ze al zo ver heen dat ze niet meer in huis te handhaven was. We trokken tijdelijk bij mijn schoonouders in, maar de situatie was onhoudbaar geworden. Ze moest doorlopend opgesloten worden en in de gaten gehouden worden om te voorkomen dat ze het opnieuw zou doen en dat dan ook de boerderij van de familie in vlammen op zou gaan. Bij mijn familie konden we niet terecht, die waren bang van haar geworden. Toen is ze uiteindelijk door de veldwachter in een afgesloten arrestantenwagen naar het dolhuis gebracht. In Rotterdam. Ik vertrok daar ook heen, want we hadden immers niets meer en ik moest werk vinden om te kunnen leven. Je weet dat ik wat langer door heb mogen leren. Thuis was de boerderij niet groot genoeg om de gezinnen van al mijn broers en mijzelf te kunnen voeden. Mijn ouders gingen korte tijd later in het dorp wonen, maar ze hebben niet lang meer geleefd. Mijn oudste broer zit nu op de boerderij, de jongere in het paardenknechtshuis er vlakbij, allebei met hun gezinnen. Een andere broer heeft ander werk gezocht. En ik... Ik keek ernaar en stond met lege handen.

In de haven vond ik al snel werk op een scheepvaartkantoor. Ik woonde in een souterrain, een klam en vochtig woninkje van een enkele kamer, zonder water en met een gedeelde plee met acht gezinnen. Noodgedwongen leerde ik in die tijd voor mezelf te zorgen. Koken, wassen, alles deed ik zelf. In het begin zocht ik Ingetje nog elke week op, maar ze raakte er steeds van overstuur. Soms zei ze gewoon niets, andere keren krijste ze alles bij elkaar. Ze werd steeds gekker en ze deed regelmatig een nieuwe poging een einde aan haar leven te maken. Een poosje geleden kreeg ik die brief dat ze zich voor de paardentram had gegooid. En een paar weken geleden had ze dus een touw te pakken gekregen en was ze bezig zichzelf op te gaan hangen aan een hanenbalk in een schuurtje. Opnieuw vonden ze haar nog maar net op tijd. Ik schaam me om het te zeggen, maar misschien is het beter voor haar als het een keertje lukt.'

Nele was geschokt. 'Wat vreselijk allemaal.'

Gijsbert legde eindelijk zijn mesje neer. 'Ook voor mij dus, want ik heb het al eerder gezegd: van een krankzinnige kun je niet scheiden. Dat is bij de wet niet toegestaan. Voor haar is het allemaal ook verschrikkelijk. Het moet vreselijk zijn om zo te moeten leven. Ik kan er geen woorden voor vinden. Vlak voordat ik weer naar het eiland kwam, heb ik haar voor het laatst gezien. Ze zat toen vol snijwonden omdat ze een mesje te pakken had gekregen. Haar haren hingen los, waren verward en zaten vol klitten. Haar ogen stonden verwilderd. Ze had zich bevuild met haar uitwerpselen. Het was met geen pen te beschrijven. Je kunt je pet afnemen voor de mensen die daar werken en die dat elke dag weer moeten aanzien. Als ze over haar toeren raakt, binden ze haar vast op bed, of ze stoppen haar in een koud bad om haar weer bij zinnen te brengen.' Gijsbert rilde. Toen keek hij Nele eindelijk aan en de blik in zijn ogen was eerder verlegen te noemen dan iets anders. 'Het spijt me, het zijn mijn zorgen. Ik had jou er niet mee lastig moeten vallen.'

Ze schudde haar hoofd. 'Ik ben blij dat ik het weet. Daardoor kan ik je beter begrijpen. Denk je er weleens aan om terug te gaan naar de stad?'

Hij schokschouderde en keek weer voor zich uit. 'Eigenlijk ben ik zo'n beetje ontheemd geraakt. Ik kan overal thuis zijn en tegelijkertijd ben ik dat nergens. Ik kom min of meer tot rust hier op het platteland. Ik woon weer op mezelf dankzij dit zomerhuis, hoe gammel het ook is, maar ik ben er blij mee. Het is dicht genoeg bij mijn broers om hen zo nu en dan op te zoeken. Dat ligt wel moeilijk. Mijn oudste broer zit in de kerkenraad en wordt erop aangesproken dat ik op zondag nauwelijks nog naar de kerk ga. Maar door wat ik heb meegemaakt, is mijn geloof in een rechtvaardige God verdwenen. Ik praat er nog weleens over met onze dominee, maar het geloof wil gewoon niet terugkomen. Ik voel het niet meer in mijn hart. Genade? Niet in mijn leven. Voor Ingetje zelf is het natuurlijk het ergst, maar ik ben alleen, en blijf dat. Geen gezin voor mij. Ik kan niet met een andere vrouw trouwen en een gezin stichten en eindelijk de kinderen krijgen die ik zo graag had willen hebben. Ik heb wel een mooie baan. Ik kan zelfs werk krijgen in Rijsoord bij die grote vlasboer daar. En o, er is ook weleens iemand van de familie Visser komen praten.'

'Wil je dat doen en hier weer weggaan?'

Gijsbert schokschouderde weer. 'Ik weet het soms gewoon

niet meer, Nele. Ik ben blij dat ik hier ben, zoals gezegd dicht genoeg bij mijn familie om die regelmatig op te kunnen zoeken, en toch ook weer ver genoeg bij hen vandaan om elkaar niet te veel voor de voeten te lopen. Dat is vooralsnog het beste. Dus nee, ik wil hier niet weg.'

'Gelukkig maar, i... wij hebben je nodig,' reageerde ze op zachte toon. Bijna had ze gezegd: ik heb je nodig. Ze hoopte maar dat hij dat niet gemerkt had en dat hij het medelijden niet voelde waar ze nu door overvallen werd. Mannen hielden niet van medelijden, ze gingen er eerder voor op de loop.

Eindelijk keek Gijsbert haar weer aan. 'Ja, en het is voor mij een prettige gedachte: ergens nodig te zijn. Ik heb je zoon graag om me heen, en de hond ook al.'

'Als vervanging voor het gezin dat er nooit mocht zijn?'

'Misschien. Daar denk ik nooit te veel over na. Te pijnlijk. Maar het voelt goed om jouw zoon alles te leren wat ik weet. Hij is intelligent, Nele. Het zou mooi zijn als je hem over een paar jaar de kans kunt geven om net als ik vroeger een paar jaar door te leren. Daar zal hij profijt van hebben.'

Nele knikte. 'De meeste boerenmensen laten hun kinderen vanaf hun twaalfde jaar van school komen en meehelpen, en zijn van mening dat de praktijk en wat sturing het beste zijn. Maar Ger wilde ook dat Bart nog twee jaar door zou leren, hij vond dat beter voor hem.'

'Dat lijkt mij ook. Als je zoon een paar jaar doorleert, heeft hij een voorsprong op de meesten van zijn leeftijdgenoten. Dat komt altijd van pas. De tijden beginnen te veranderen, Nele. Als je zoon meer in zijn mars heeft, kan hij ergens in besturen komen te zitten. Dan kan hij misschien ouderling of diaken worden, en kan hij beter omgaan met de notabelen in het dorp.'

Nele schoot in de lach. 'Misschien heeft hij daar geen behoefte aan? Bart is in hart en nieren een boerenzoon.'

Gijsbert schudde zijn hoofd en stond op, maar zijn ogen stonden helderder en zijn rug was niet langer zo gebogen. 'Denk er maar eens over en praat erover met je oom. Dat is een verstandig man. Ik heb hem in de afgelopen maanden leren waarderen.'

'Ik zou me geen raad geweten hebben zonder zijn steun. Gijsbert, ik ben blij dat ik dit allemaal weet.'

Hij knikte. 'Maar zwijg er maar liever over. De meeste mensen zouden het toch niet begrijpen.'

Hij liep naar de deur en hield die met een niet mis te verstaan gebaar open. De hond schoot langs Nele heen naar binnen.

'Slaapt Bobbie bij jou?'

'Meestal.' Er glom iets in de ogen van Gijsbert. 'Zal ik je eens wat zeggen? Ik til hem zelfs in de bedstee. Dan houd ik 's nachts tenminste nog iets in mijn armen.'

Vlinderlicht beroerden ineens zijn lippen haar wang en toen kreeg ze een duw in haar rug, zodat ze buiten stond voor ze het wist. De deur achter haar was alweer dicht.

Ze huiverde in de kille herfstnacht. Nu had Gijsbert haar al voor de tweede keer een zoen gegeven!

En erger nog, had ze niet graag gewild dat hij dat nog eens deed?

15

Hij was niet vrij en zou dat ook nooit zijn. Dat was de overheersende gedachte die Nele maar niet los kon laten toen ze de andere morgen al heel vroeg wakker was geworden. En wat meer was en haar zo onrustig maakte: dat vond ze erg. Heel erg zelfs. Bijna ongemerkt had hij een plek in haar hart veroverd om er niet meer weg te gaan, en nu ze heel zijn trieste levensgeschiedenis kende, wist ze ook dat er nooit iets meer zou zijn.

Had hij die gevoelens misschien ook voor haar? Wilde hij die even diep wegbergen als zijzelf? Hij had haar nu al voor de tweede keer een zoen gegeven, weliswaar slechts vluchtig en op haar wang, maar toch... Ze huiverde. Ze moest ineens aan Hokke denken, en aan Joost Visser, twee mannen die haar ook wilden hebben en die vrij waren om een nieuw huwelijk aan te gaan.

Meteen sloeg ze de dekens van zich af. Dat nooit. Nooit meer een huwelijk waar haar hart niet bij betrokken was. En een huwelijk waar haar hart wel bij betrokken was, wel, dat was onmogelijk. Ze wist het en moest het maar liever op de achtergrond zien te krijgen met werken, heel hard werken. Want als je werkte, maalden de gedachten niet eindeloos door je hoofd om je doodmoe te maken en verdrietig bovendien.

Halverwege de volgende morgen zat moeder Los weer in de vroegere leunstoel van Ger, die ze tot haar eigen vaste plek had gemaakt in de afgelopen tijd. Niemand die er iets van zei. Ze had wel min of meer naar Nele geluisterd, besefte deze. Waarschijnlijk deed ze voor haar gevoel enorm haar best niet altijd meer overal commentaar op te hebben of scherpe opmerkingen te maken. Maar een levenslange gewoonte nog veranderen op je oude dag, dat ging vanzelfsprekend niet zonder slag of stoot. Nu probeerde Nele haar scherpe opmerkingen te verdragen, zoals ze dat al jaren had gedaan, en als moeder Los het al te bont maakte, dan zei ze er wat van. Wat wel verbeterd was, was dat ze het zich niet langer aantrok en dat ze heel langzaam in de afgelopen maanden het gevoel had gekregen dat ook zij er best mocht zijn.

De boerderij was in goede handen gebleven. Ze had al veel geleerd van oom Schilleman en van Gijsbert. Tante Lijsbeth was een lieverd en Nele laafde zich soms aan de wijze en lieve woorden van de zuster van haar schoonmoeder. Hoe konden twee vrouwen die dezelfde ouders hadden gehad, toch zo van elkaar verschillen, dacht ze soms in opperste verbazing.

Tijdens de kerkdiensten vermeed Joost Visser het haar aan te kijken en zijn zuster Aleid keek des te donkerder, maar ook daar kon ze weinig aan veranderen, vreesde Nele. De vrouw was waarschijnlijk verbitterd geraakt, misschien omdat ze diep in haar hart best graag een man en kinderen van zichzelf had gehad? Wie zou het zeggen?

Maar deze morgen was er iets met moeder Los en Nele kon niet zeggen wat. Het leek wel of de vrouw een beetje in de war was, en al een kwartiertje na de koffie zat ze te dommelen in de stoel. Ook Mina keek verbaasd van de een naar de ander toen Nele met een vragende blik in haar ogen naar haar keek.

'Ze is volgens mij niet helemaal goed,' zei Mina fluisterend.

'Ik heb er ook een raar gevoel bij, maar ik kan niet zeggen waarom.'

'Zal ik straks even naar uw tante Lijsbeth lopen en haar om raad vragen?'

'Ja,' knikte Nele, 'dat zou heel fijn zijn. Dank je, Mina.'

'Keetje kan de aardappelen schillen en de bruine bonen staan al op.'

'Ik zal er zelf het spek bij uitbakken. We zullen er maar rekening mee houden dat tante Lijsbeth hier eet.'

Zo gebeurde het. Nele voelde zich ongedurig en liep naar buiten om bij de schuur te gaan kijken.

De kegels vlas waren intussen voldoende gedroogd, en omdat er regen dreigde, had Gijsbert besloten dat ze voor die zou gaan vallen, moesten proberen zo veel mogelijk vlas droog in de grote boerenschuur te krijgen, zodat ze konden beginnen met het braken en het zwingelen.

Gijsbert was zelf nergens te beroerd voor, mijmerde Nele toen ze vanaf het erf naar het veld keek waarop het vlas te drogen had gestaan. Hij werkte even hard mee als de eerste de beste boerenknecht, maar inmiddels begreep ze heel wat beter hoe dat kwam. Hij zocht naar rust. Rust die hij in zijn geloof niet langer kon vinden, zoals hij had verteld. Rust van de nare berichten die hij over zijn vrouw Ingetje ontving, rust om zijn machteloosheid te overwinnen of in ieder geval de baas te blijven. Blijkbaar lukte hem dat nog het best met zwaar lichamelijk werk.

Ze werd gestoord door de stem van haar tante. 'Waarom denk je dat Alie niet goed is?'

'Heeft u haar al gezien?'

De ander schudde haar hoofd. Haar ogen stonden bezorgd.

'Ze zit maar en valt steeds in slaap. Het lijkt wel of ze in de war is, en we kunnen haar niet goed verstaan. Zo nu en dan mompelt ze iets wat we niet kunnen begrijpen. Het is in ieder geval gedrag dat enorm verschilt van haar gewone doen en laten.'

'Ik zal eens bij haar gaan kijken. Kan ik bij jullie blijven eten? Schilleman is druk op het land. Net als jullie wil hij het vlas voor de komende regen binnen hebben. Ze zijn overal bezig en de aardappelen en de bieten die nog in de grond zitten, kunnen nog wel even wachten.'

'Ook daarvan is inmiddels het meeste geoogst, tante.'

'Gelukkig wel. Kom maar mee, Nele. Dan gaan we samen bij Alie kijken.'

De mond van moeder Los was scheef weggezakt, zag Nele geschrokken toen ze de mooie kamer binnenkwamen.

'Hier moet de dokter bij komen,' besliste tante Lijsbeth resoluut. 'Dit is niet goed en ik herinner me dat onze moeder ook dergelijke klachten heeft gehad. Toen bleek het een beroerte te zijn. Ze is daarna nooit meer helemaal de oude geworden. Wie kan er om de dokter gaan, Nele?'

'Ikzelf, denk ik. Gijsbert en Adrie zijn druk met het vlas binnenhalen. Ik neem een paard dat nog op stal staat. Zo te zien is dat Bruin en dat komt goed uit, want die is lief en betrouwbaar.'

'Maar...'

'Ik weet het, tante Lijsbeth. Vrouwen horen niet schrijlings op een ongezadeld paard te rijden, maar hier is haast bij, begrijp ik. Nu heeft de dokter nog spreekuur. Als hij straks gegeten heeft, gaat hij zijn ronde doen en krijgen we hem niet meer te pakken. Lopen kost te veel tijd en op een fiets heb ik nog nooit gereden, dus die van Gijsbert nemen lijkt me niet verstandig.'

'Fietsen is alleen maar waaghalzerij voor onbezonnen kerels,' knikte tante Lijsbeth. Ze was Nele schijnbaar al vergeten. 'Kom Mina, je moet me helpen. We moeten Alie in de bedstee zien te krijgen. Die in de mooie kamer, waar Nele gewoonlijk slaapt. Daar ligt ze rustig. In de keuken gebeurt de hele dag van alles, en drukte is niet goed voor een ziek mens. Nele kan dan wel zolang in de keuken in de bedstee.'

Nele was al buiten. In haar kinderjaren had ze met haar broers wel vaker op ongezadelde paarden gereden en ze had dat altijd fijn gevonden. Toen ze ouder werd, mocht ze dat niet meer, want dat werd onbehoorlijk gevonden. Er waren wel dames die een paard bereden, maar dan keurig netjes in een speciaal dameszadel met de beide benen aan één kant, want met gespreide benen op een paard zitten was iets wat voor dames pertinent werd afgekeurd.

Maar nood breekt wet, dacht Nele gehaast, terwijl ze Bruin van een hoofdstel voorzag en een kleedje op zijn rug legde. Bruin keek er niet vreemd van op. Bart bereed hem ook weleens zonder zadel. Sofie vroeger ook, maar inmiddels was het haar, net als haar moeder vroeger, verboden.

Via een opstapje zat Nele even later op de rug van het dier en ze tikte met haar hielen in zijn flanken. 'Vort,' bromde ze, waarop het dier begon te draven. Dat ze overal werd nagekeken, besefte Nele niet eens.

Ze trof de dokter tot haar opluchting nog thuis, toen hij na zijn spreekuur net aan de koffie zat en al van plan scheen te zijn snel aan zijn ronde te beginnen. Ze legde hem uit wat er gebeurd was en hij beloofde als eerste naar hoeve Sofie te komen, omdat er verder geen ernstige zieken waren waar hij dringend naartoe moest.

'Ik maak me ongerust, dokter,' hijgde Nele.

'Ik ook,' was het rustige antwoord. 'Bent u er dan?'

Ze knikte. Buiten leidde ze Bruin naar een hoge stoep om weer op de rug van het paard te kunnen klimmen. Uitgerekend Aleid Visser stond niet ver daarvandaan met een andere vrouw te praten.

'We hadden het kunnen weten,' bitste ze op afkeurende toon.

Gelukkig was Bruin inderdaad een heel mak en rustig paard. Nele zat weer op zijn rug en klakte met haar tong.

'Vort,' zei ze, waarop het dier meteen in beweging kwam. 'Nood breekt wet, juffrouw Reedijk,' zei ze tegen de vrouw met wie Aleid had staan praten. 'Er is iets aan de hand met mijn schoonmoeder en omdat alle mannen in het vlas bezig zijn, was dit de enige manier om dat de dokter zo snel mogelijk te laten weten.'

De ander knikte vriendelijk. 'Dat begrijpen we. Sterkte ermee, juffrouw Los.'

Ze knikte en Bruin draafde even later in een kalm gangetje het dorp uit, waar Nele meerdere keren werd nageroepen. Maar ze trok zich er niets van aan, hield ze zichzelf aldoor voor. Buiten het dorp liet ze het dier sneller draven, zodat ze zo gauw mogelijk weer thuis zouden zijn.

Terug op de boerderij kwamen de werklui al van het land. Het was twaalf uur, tijd voor het warme middagmaal.

'Ik zag uw schoonmoeder vanmorgen nog over de dijk lopen, juffrouw Los,' vertelde een van de knechten. 'Ze slingerde alsof ze dronken was.'

Nele keek ernstig. 'Dus toen was ze ook al niet lekker! Eenmaal hier was ze in de war en viel ze iedere keer in slaap. Ik ben net zelf om de dokter geweest. Ik verwacht hem elk moment of in ieder geval zo snel mogelijk.'

'Dat klinkt ernstig.'

'Ik maak me dan ook grote zorgen,' knikte ze.

Tijdens de maaltijd was de sfeer bedrukt, alsof de mensen onder de indruk waren. Moeder Los was geen warme vrouw die bij iedereen geliefd was, maar dat een mens zo plotseling in de war kon raken of raar ging doen, dat maakte nogal indruk.

Ze zaten nog maar net aan de karnemelkse gortepap toen de dokter binnenstapte. Meteen stond Nele op, blij dat haar schoonmoeder rustig in de mooie kamer lag.

Even later onderzocht de dokter haar grondig en hij stelde haar enkele vragen. Moeder Los was moeilijk te verstaan. De dokter dekte haar ten slotte weer toe en zijn gezicht stond ernstig.

'Een beroerte, juffrouw Los. Het kan nu alle kanten op gaan, van wat voorbijgaande klachten tot aan een overlijden toe, dat kan ik zo aan de buitenkant niet zeggen. Er helpt niets anders tegen dan rust, en zorg ervoor dat ze regelmatig drinkt. Eten is heel wat minder belangrijk, en dat kan alleen als ze goed kan slikken. In de komende dagen zal het wel duidelijk worden of het ernstig is of dat het allemaal nogal meevalt. Let erop of er verlammingen optreden. Nu kan ik dat niet goed zien, maar dat haar mondhoek hangt geeft wel duidelijk aan dat er in haar hoofd iets helemaal niet goed zit. Ik kom morgen terug om bij haar te kijken.'

Toen de man vertrokken was, staarde iedereen in de keuken Nele aan.

'Mijn schoonmoeder heeft een beroerte gekregen en de dokter kan nu nog niet zeggen of het meevalt en ze weer helemaal opknapt, of dat het juist ernstig is.'

Na een eerste stilte barstte het praten los, tot Nele weer ging zitten en iedereen aankeek. 'Laten we een beetje rustig zijn. Ze ligt in de mooie kamer, maar misschien hindert de drukte haar. Van de dokter moet ze zo veel mogelijk rusten.'

'Dat begrijpen we best,' zei Mina. 'Ze heeft het de laatste

maanden heel zwaar gehad met die man van haar.'

Nele knikte slechts en lepelde de koud geworden pap naar binnen, terwijl de anderen min of meer schichtig de keuken verlieten.

Ze wist niet waarover er in de daaropvolgende dagen het meest werd gekletst in het dorp. Over haar schoonmoeder die ziek was, of over het ongehoorde feit dat Nele schrijlings paardgereden had.

16

Voor het vlas gezwingeld kon worden, moesten de stengels van de plant eerst worden gebraakt. De braak was een soort plank met gleuf op een onderstel met een bot mes erboven, waarmee op de stengels werd ingehakt, niet om ze door te snijden, maar om de houtige buitenkant van de stengel los te maken van de binnenkant, waarin het eigenlijke vlaslint zat. De houtachtige stengels werden daarmee op verschillende plaatsen in stukken gebroken. Sommige boeren hadden daar een groter apparaat voor, dat bestond uit twee of soms drie rollen, te vergelijken met een wringer, waaraan met de hand gedraaid werd en waar de vlasstengels dan doorheen gehaald werden. Daarbij kwam al veel afval vrij. Het kaf, dat 'scheven' werd genoemd, werd verzameld om later – net als het bolkaf bij het repelen – te worden gebruikt als veevoer of dat als brandstof kon worden gebruikt of worden verkocht. Vooral bakkers gebruikten graag scheven om hun ovens mee te stoken.

Daarna volgde dan het zwingelen. Dat was misschien wel de belangrijkste bewerking van het vlas en in ieder geval bijna de laatste, omdat men hier eindelijk het eindproduct mee verkreeg: vlaslint dat kon worden verkocht aan een spinnerij om er uiteindelijk linnen van te weven. Meestal gebeurde dat via een opkoper die langs de boerderijen trok om het vlaslint te bekijken en te keuren, maar soms gingen de boeren zelf naar de stad om daar hun vlaslint te verkopen en namen ze monsters van hun oogst mee om zo de kwaliteit ervan te laten bepalen.

Het zwingelen gebeurde op het zwingelbord. Dat was een brede en dikke hardhouten plank die rechtstandig was gemonteerd op een stevig voetstuk. Daar werd wat vlas in gehangen, waarna met de zwingelspaan de scheven – dus eigenlijk stukjes kaf van de stengel van de plant – van het eigenlijke vlaslint werden geslagen. De eerste keer gebeurde dat met een grove zwingelspaan, de tweede keer met een fijnere, die kleiner was, tot uiteindelijk het vlas schoon geworden was. Dit zwingelen was heel erg stoffig werk. Het stof prikkelde binnen de kortste keren de longen, zodat iedereen die maar even in de zwingelkeet kwam, al snel aan het hoesten sloeg.

Het zwingelen gebeurde in een afgesloten keet of schuurtje. Zwingelketen stonden dan ook bij alle grotere boerderijen, maar kleinere boeren kochten soms vlas op om dat in hun eigen schuur te zwingelen, en zo in de wintertijd wat bij te verdienen. Dan moest het hele gezin daarbij meehelpen, want immers, elke cent die kon worden verdiend was bitter noodzakelijk om de winter door te komen zonder honger of kou.

Op hoeve Sofie stond ook een speciale zwingelkeet en ze bezaten tien zwingelborden. Bij de andere vlasboeren stonden eveneens dergelijke keten, en de grootste stonden bij de vlassers. Een vlasboer was net als hoeve Sofie een gewoon boerenbedrijf, waar dus ook vee was en waar ook andere gewassen werden verbouwd, want vruchtwisseling was belangrijk om ziekten in de gewassen te voorkomen. Maar in het dorp zelf waren ook meerdere echte vlassers, die dus overal vlas opkochten van boeren om het zelf verder te verwerken, maar die verder niet een echt boerenbedrijf hadden. Bij hen stonden immens grote schelven ongerepeld vlas goed afgedekt buiten voor de schuren, gewoon in de straten van het dorp, te wachten tot het vlas bewerkt kon worden, en die schelven bepaalden in dit jaargetijde in sterke mate het dorpsgezicht. Ze vormden echter ook een groot brandgevaar, want als een dergelijk grote schelf midden in het dorp in brand raakte, was het leed niet te overzien. Dat gebeurde dan ook regelmatig. Dat kon komen door blikseminslag, broei of doodgewoon door onvoorzichtigheid. Het droge vlas was uitermate brandbaar.

Het werk in de zwingelketen begon doorgaans om vijf uur in de morgen en ging door tot vijf uur in de middag, en op zaterdag tot één uur, waarna de weeklonen werden uitbetaald, al werden de werktijden vanzelfsprekend onderbroken door de gebruikelijke schafttijden.

Vanwege het grote brandgevaar dat gedroogd vlas opleverde, kon er in zwingelketen niet worden gestookt, mochten er geen petroleumlampen branden en mochten er ook geen pijpen of sigaren worden gerookt. Om het stof enigszins draaglijk te houden, werden er wel luiken opengezet, en soms deuren, maar in deze tijd van het jaar was het buiten vaak zo koud dat dit geen optie meer was, omdat de arbeiders dan bijna bevroren van de kou. Het enige wat was toegestaan, was dat de arbeiders zelf een lamp meebrachten met patentolie. Die gaf weinig warmte, maar toch een beetje licht, want in de wintertijd was het bij het begin van de werkdag natuurlijk nog aardedonker.

Zwingelen was daarom heel zwaar werk, want naast het hoesten kregen de arbeiders het benauwd en vaak kregen ze koorts, zeker in het begin of als er te lang doorgewerkt moest worden. Als het zwingelen net begonnen was, moesten de werktijden dan ook in fasen opgebouwd worden, wilden de arbeiders niet meteen doodziek worden van de gemene en gevreesde stofkoorts. Men werkte zo'n eerste dag slechts enkele uren, daarna elke dag een beetje langer, totdat na een week hele dagen gewerkt kon worden. Men sprak dan van de 'leerweek'.

Veel arbeiders pruimden tabak omdat men geloofde dat dit hielp tegen de koorts. In ieder geval hield het de mond een beetje vochtig als men pruimde, want die voelde door het stof al snel veel te droog aan. Een enkeling nam ook graag een zakflacon mee om met de inhoud daarvan de keel te smeren en zich wat moed in te drinken voor dit zware werk.

Maar het werk moest uiteindelijk toch gebeuren, en honger lijden was de enige andere optie. Niemand sprak er graag over dat zwingelaars doorgaans niet ouder werden dan veertig jaar. Het was een grote angst onder het arme deel van de bevolking om ziek te worden, honger te moeten lijden of vroeg te moeten sterven.

Inmiddels knapte moeder Los weer heel langzaam op. In het begin sprak ze moeilijk en voelde ze zich duidelijk onzeker. Ze stond wat wankel op haar benen en was tot Neles verrassing nogal gelaten onder dat ongemak. Ze onderging haar plotselinge afhankelijkheid de eerste paar weken lijdzaam. De dokter was echter tevreden. Er was geen tweede beroerte gekomen, liet hij Nele met een glimlach weten. Dat gebeurde namelijk maar al te vaak en dan waren de vooruitzichten veel somberder. Als mensen daar niet aan stierven, bleven ze toch vaak heel hun verdere leven lang afhankelijk van de zorg van andere mensen.

Moeder Los zou nooit meer helemaal de oude worden, daar moesten ze zich maar alvast op voorbereiden, maar ze moesten er dankbaar voor zijn dat het allemaal nog betrekkelijk goed was afgelopen.

Zolang haar schoonmoeder zich niet lekker voelde, hield ze zich tot opluchting van Mina en Nele koest. Keetje was bang voor de oudere vrouw.

Maar toen moeder Los langzaam maar onmiskenbaar weer wat opknapte, uitte zich haar ongenoegen over de plotselinge beperkingen die ze ondervond weer als vanouds in hatelijke opmerkingen en het kleineren van de mensen die haar moesten helpen. Al snel ontliep Keetje haar zo veel mogelijk en ook Mina had er zichtbaar niet veel zin meer in om haar te helpen. Tante Lijsbeth deed wat ze kon om Nele te ontlasten, maar ook op de boerderij van oom en tante was het winterwerk volop begonnen. De goedige, zachtaardige tante Lijsbeth troostte Nele vaak als ze onder een sneer van haar schoonmoeder leed, maar veel meer kon ze er niet aan doen. Zelfs Sofie en Bart ontliepen hun grootmoeder zo veel ze konden.

Op school hadden geen van beide kinderen problemen. Sofie kon net als haar broer heel goed leren en daar wist Nele nog altijd niet goed raad mee, want ze was immers een meisje. Ze had met oom Schilleman gesproken over het voornemen van Ger om Bart na de gebruikelijke en verplichte schooltijd nog enkele jaren naar de hbs in Oud-Beijerland te laten gaan. Hij kon er elke dag met de stoomtram naartoe reizen en ook weer thuiskomen, dus het was mogelijk. Oom vond boekenwijsheid ook meer iets voor de kinderen van de dorpsnotabelen, maar Gijsbert praatte kennelijk zo nu en dan op hem in, en oom Schilleman zag ook wel dat de bedrijfsleider niet alleen op hoeve Sofie de administratie goed bijhield, maar dat steeds vaker ook voor andere boeren deed, die daar niet zo bedreven in waren of die het domweg te veel gedoe vonden. Het leverde hem bovendien een aardige bijverdienste op. Dus ja, oom zag gaandeweg wel in dat doorleren ook voor een boerenzoon voordeel kon opleveren.

Sofie zou die winter in januari elf jaar worden en begon al een dametje in de dop te worden. Net als haar moeder snakte ze ernaar dat de rouwtijd voorbij zou zijn en ze eindelijk eens iets anders kon gaan dragen dan dat eeuwige zwart.

November was al een heel eind voorbijgegaan, toen Gijsbert Nele aanhield en vroeg of ze die avond even bij hem langs kon komen in het zomerhuis. Nu haar schoonmoeder immers nog steeds in de mooie kamer verbleef en die gaandeweg leek te beschouwen als 'haar' kamer, konden ze immers nergens in huis ongestoord praten.

Nele schrok ervan. Zou hij toch weg willen gaan? Was er misschien opnieuw iets met zijn vrouw gebeurd, wilde hij daarom teruggaan naar de stad? Vond hij het werk op de boerderij toch niet zo plezierig?

Ze piekerde er doorlopend over, tot ze eindelijk en behoorlijk gespannen om zeven uur die avond hij hem aanklopte. Ze was zenuwachtig, besefte ze.

Urenlang had ze erover lopen piekeren dat Gijsbert misschien weg wilde gaan, en wat moest ze dan doen? Ze wist alleen dat ze hem dan verschrikkelijk zou gaan missen. Veel meer dan goed voor haar was, en het was een gevoel dat ze niet kende. Haar huwelijk was destijds toch voornamelijk een kwestie van gezond verstand geweest, waarop sterk was aangedrongen door haar vader. Gevoelens van verliefdheid had ze nauwelijks gekend.

Zou dat het soms zijn? Was het verliefdheid, liefde misschien wel, wat ze voor Gijsbert voelde? Ze wist alleen dat ze graag bij hem in de buurt was, heel erg graag zelfs. Ze wist ook dat ze soms de behoefte moest bedwingen om hem even aan te kunnen raken, dat ze hem miste als hij naar zijn broers was.

Hij zat aan tafel met allerlei papieren voor zijn neus en keek met een glimlach op toen ze, plotseling verlegen, binnenkwam.

'Ha, daar ben je dan! Vond je het niet erg om hier te komen? Dan weet ik tenminste zeker dat niemand ons zal afluisteren.'

'Je bedoelt dat bij mij in huis de muren oren hebben?'

'Met je schoonmoeder in de buurt weet je het uiteindelijk maar nooit! Ze is er goed in geworden om een beetje doof te zijn als ze iets niet wil horen, maar als ze iets niet mág horen, ontgaat haar nooit iets.'

Nele schoot prompt in de lach, want hij had inderdaad gelijk.

'Ik zou het zelf nooit zo ronduit durven zeggen,' reageerde ze met een tikje schaamte.

'Ik wel. Ga zitten, dat praat prettiger.'

De zenuwen kwamen prompt weer terug. 'Je gaat me toch niet vertellen dat je weg wilt, hè?' ontsnapte het haar tegen wil en dank.

Even gleden zijn ogen onderzoekend over haar gezicht. Hij leek iets te willen zeggen en ze gokte dat het erop neer zou komen dat hij zou vragen of zij dat erg zou vinden. Maar hij stopte bedachtzaam zijn pijp, wierp nog eens een onderzoekende blik op haar gezicht en antwoordde toen: 'Voor een paar dagen, ja.'

'O. Moet je naar... op familiebezoek?'

'Nee.'

'Het spijt me, het zijn mijn zaken natuurlijk niet.'

'Ik heb mijn vrouw al een tijd niet opgezocht, dat weet je. Ik heb je verteld dat ze steeds overstuur raakte als ze mij zag. Het enige contact dat ik op dit moment nog heb met het dolhuis, is via de brieven die ik zo nu en dan ontvang. Als ze weer... Nu ja, daar wil ik het niet eens over hebben. En dan hoor ik meestal later dat ze toch weer is opgeknapt, dat ze bijna of in mindere mate weer de oude is geworden, dat haar ziekte niet verbetert, maar eerder erger wordt, of iets anders van die strekking. Ik weet ondertussen best dat het heel slecht met haar gesteld is. Ze verzorgt zich niet – dat doen ze daar in het dolhuis ook nauwelijks – ze doet steeds opnieuw een poging om... Het mag niet eens gezegd worden, zo erg is dat. En op een dag als dat haar mogelijk lukt, ach, soms lig ik daar wakker van omdat ik niet weet wat ik dan zal voelen. Gefaald hebben, denk ik. Maar heel misschien toch ook iets van opluchting? En daar schaam ik me dan weer voor. Hard werken, heel hard werken en 's avonds doodmoe zijn, dat is het enige wat in dat opzicht wat verlichting geeft. Maar goed, daar hoeven we het niet meer over te hebben. De situatie is zoals die is, al weten veel mensen er niet van af, zo lang is ze al weg. Ik zit aan alle kanten vast en kan daar evenmin iets aan veranderen.'

Ze knikte woordeloos en keek hem toen opnieuw vragend aan.

'Als je een paar dagen ergens heen wilt zonder te zeggen waar je naartoe gaat, is dat je goed recht, Gijsbert. Je bent ons daarover geen verantwoording schuldig. Je kunt vanzelfsprekend een paar dagen weg.'

'Adrie let wel op in de zwingelkeet en je houdt het maar in op mijn loon.'

'Dat laatste is niet nodig. Ger was vroeger ook weleens weg. Hij ging graag naar de stad, zeker als hij een heel enkele keer zelf een opkoper zocht voor de knotten vlas, en hij bleef dan ook graag wat langer in de stad hangen.'

'De bloemetjes buitenzetten, zeker?'

Ze bloosde. 'Niet dat ik weet.'

'Goed.' Hij keek Nele recht aan. 'Ik ga weer naar Rijsoord. Je weet dat daar een heel grote vlasserij is, en ik ga daar een gesprek hebben met de baas van het spul. Ik weet dat dat bedrijf een voorbeeld is waar de grote vlasboeren uit dit dorp ook naar kijken. Ik wil ook meer weten over de manier waarop deze man de vlasteelt bevordert en wat daarbij komt kijken. De directeur van die grote vlasserij gaat me er het een en ander over vertellen en daar ben ik erg blij om. Op een gegeven moment heeft jouw zoon mij niet langer nodig en wil ik met die kennis iets gaan doen. Overal wordt ernaar gezocht om zware boerenarbeid te verlichten met machines. Met sommige werkzaamheden lukt dat, met het vlas is het nog niet goed gelukt en dat ligt dus moeilijk, maar ik ben er vast van overtuigd dat ook in de vlasserij over niet al te lange tijd machines gebruikt gaan worden, die het werk gemakkelijker gaan maken. Niet alleen wil ik daarvan goed op de hoogte zijn, maar ik wil er ook op de een of andere manier bij betrokken raken. Hoe, dat weet ik nog niet precies. Misschien moet ik dergelijke machines in de toekomst gaan verkopen? Misschien wil ik ooit in zo'n soort bedrijf gaan werken? Ik heb er nog geen idee van, maar iets trekt me.'

Ze keek hem eindelijk recht aan, behoorlijk opgelucht dat hij tenminste niet had gezegd dat ze maar een andere bedrijfsleider moest gaan zoeken. Ze was niet langer zenuwachtig, merkte ze.

'Ik wist niet eerder dat vlas je zo erg interesseerde.'

'Het ligt anders. Kijk, Nele, ik ben hier graag, maar ik wil echt niet mijn hele leven bedrijfsleider blijven en nooit meer mijn voeten onder mijn eigen tafel kunnen steken.'

'Dan had je misschien beter in Rotterdam kunnen blijven?'

'Ook niet. Alles wat er met Ingetje gebeurd is, heeft me diep geraakt. Het verlies van mijn zoontje is en blijft een open wond, temeer omdat ik niet in de gelegenheid ben om nog meer kinderen te krijgen. Ik zeg het niet graag, maar het vreet meer aan me dan ik wie dan ook maar uit kan leggen. Ik ben een getrouwd man zonder de lusten, maar wel met loodzware lasten. Niemand zou me begrijpen als ik er ronduit over sprak dat ik haar al een tijd niet meer heb gezien en haar ook niet meer wil zien, niet kán zien zelfs. Omdat ze helemaal de weg kwijtraakt, als dat gebeurt. Hoe zwaar dat is, kan ik niemand uitleggen. Ooit heb ik van haar gehouden. Ooit heb ik die liefde zien veranderen in soms zelfs haat. Al is ze ziek, het heeft een enorme invloed op mijn leven gehad en ik sta er machteloos tegenover.'

Ze knikte. 'Ik weet ervan, je hebt al eerder over je machteloze gevoelens daarover verteld.'

'Ja, jij weet het. Als ik...'

Maar hij zei niet wat hij dacht en zij vulde het in met wat ze graag wilde denken. Als hij vrij was geweest?

'Goed, over een paar jaar kan Bart hier de leiding overnemen. Als hij straks zestien, zeventien jaar is geworden, zal hij het niet langer verdragen dat er een oudere kerel rondloopt die de touwtjes niet uit handen wil geven. Dan moet hij zelf beslissingen leren nemen, wel nog met begeleiding van je oom en misschien ook nog een beetje van mij. Maar gaandeweg zal tegen die tijd mijn eigen invloed minder worden en dat is natuurlijk de gezonde gang van zaken. Maar zoals ik zei, ik wil niet mijn leven lang onder een ander op een boerderij blijven werken. Ik ben niet geschikt voor een soort rol als knecht. Ik wil over een poosje weer met mijn hoofd gaan werken. Ik wil meer weten over dergelijke grote vlasbedrijven en misschien kan ik daar iets voor gaan betekenen in de toekomst, omdat ik goed ben met de administratie.'

'Bemoei je je daarom met het papierwerk van andere boeren?'

'Ik wil mijn kennis over boerenbedrijven op die manier zo breed mogelijk maken. Ik leer hier nog elke dag op hoeve Sofie. Zo kan ik, samen met wat ik vroeger heb opgestoken bij mij thuis en bij mijn broers en ook nog wel opsteek door met mijn oudste broer en jouw oom Schilleman te praten, mijn kennis zo breed mogelijk maken. Als Bart vroeger of later de touwtjes zelf in handen heeft genomen, ben ik ruimschoots de veertig gepasseerd. Ik zie mij daarna niet meer met een riek in de hand hooi opsteken op een boerderij.'

'De meeste mannen die zwaar handwerk doen, zijn op die leeftijd oud en versleten.'

'Vaak wel, ja.'

'Je wilt dus hier blijven om meer praktische kennis op te doen? Volgens mij doe je wat dat betreft niet onder voor de boeren die ik ken. Eigenlijk denk ik dat je heel wat slimmer bent dan de meesten.'

'Misschien wel, maar ik heb je een beetje uitgelegd hoe ik straks mijn toekomst zie. Daarom wil ik in Rijsoord rondkijken nu ik daar de kans voor krijg en zien de juiste mensen te spreken te krijgen.'

'Natuurlijk moet je gaan. We zullen je missen, maar zijn ook blij dat je weer terugkomt.' Bijna had ze gezegd: ik zal je missen, maar dat was gelukkig niet gebeurd.

'Goed dan. Aanstaande maandag neem ik de stoomtram en ik denk op donderdag of vrijdag weer terug te zijn.'

Nele knikte en stond op. 'Wat zeg je tegenover iedereen?'

'Gewoon de waarheid: dat ik een boodschap in Rijsoord heb, en daar iets moet regelen.'

Hij ging en Nele voelde zich toch onzeker. Hij wilde in de toekomst iets anders. Dat kon ze wel begrijpen, maar stel dat hij ineens tot de ontdekking kwam dat hij dat al veel eerder wilde? Stel dat ze daar in Rijsoord van hem gecharmeerd raakten en hij dat werk dat ze hem aangeboden hadden liever wilde doen dan wat zij hem hier konden bieden?

Ze durfde er eigenlijk niet eens aan te denken!

17

Gijsbert kwam een paar dagen later op vrijdag terug, maar ze hadden nog niet eens met elkaar kunnen praten over zijn bezoek aan Rijsoord omdat hij meteen na een kop koffie te hebben gedronken weer aan het werk was gegaan.

Even later verscheen tot Neles stomme verbazing Aleid Visser onverwacht op het erf met de mededeling dat ze de oude juffrouw Los kwam bezoeken. Nu ja, het kon natuurlijk niet verboden worden, en moeder Los had in het verleden altijd hoog opgegeven van Aleid en menigmaal haar zoon onder de neus gewreven dat hij toch maar mooi de verkeerde keus had gemaakt door met Nele te trouwen. En dat terwijl hij een rijke vrouw als Aleid had kunnen hebben! Misschien was die niet zo mooi geweest als Nele, maar ze kwam wel uit een welgestelde familie en hij zou daarmee in hoog aanzien hebben kunnen staan.

Nele bracht Aleid naar de mooie kamer, waar moeder Los in de leunstoel zat en somber voor zich uit staarde. Ze bewoog zich nog wat traag en het spreken ging weliswaar al stukken beter, maar nog wel moeizaam. Verder was ze redelijk hersteld.

Ze liet beide vrouwen koffie brengen door Mina, omdat ze er zelf geen zin in had bij hen te gaan zitten en met hen te moeten praten.

Een halfuurtje later was ze op het erf bezig, toen Aleid blijkbaar vond dat de visite lang genoeg had geduurd. Ze kwam met vastberaden pas op Nele af.

'Je schoonmoeder kon mijn vraag niet beantwoorden of het waar is.'

'Of wat waar is?' vroeg Nele met nauwelijks bedwongen tegenzin.

'Dat je bedrijfsleider ervandoor is gegaan?'

Nele schoot in de lach. 'Voor zover ik weet is hij in de zwingelkeet aan het werk,' reageerde ze toen met een licht geamuseerde glimlach om haar lippen.

'O.' Even leek Aleid niet precies te weten wat ze daarop moest zeggen. Maar toen glommen die ogen van haar weer een tikje gemeen. 'Maar is het wel waar dat hij getrouwd is en zijn vrouw zomaar in de steek heeft gelaten? Of was hij haar eindelijk na jaren verwaarlozing eens een keertje op gaan zoeken? Komt ze bij hem wonen?'

Even had Nele het gevoel dat haar hart stilstond, maar gelukkig duurde dat maar kort. Ze aarzelde wel even voor ze een antwoord kon geven, want ze wist niet precies wat ze het best kon zeggen. Maar voor ze precies wist welke woorden ze het best kon kiezen, lachte Aleid al op een manier die Nele als schamper bestempelde.

'Je aarzelt. Wel, dan weten we meteen dat ze nog steeds niet mag komen! Wat een misbaksel! Iedereen laten denken dat hij zo'n rechtschapen kerel is en ondertussen zit er ergens een verwaarloosde vrouw die slecht door hem behandeld wordt.'

Alles wat ze nu zou zeggen zou het waarschijnlijk alleen maar erger maken, schoot het in een flits door Neles hoofd. Dus klemde ze haar lippen op elkaar en ze knikte veelbetekenend naar de dijk.

'Als u het niet erg vindt, juffrouw Visser, ik heb het druk. En o, dit wil ik nog wel even kwijt, u zit er volkomen naast met uw veronderstellingen. Maar het is niet aan mij om daar iets over te zeggen.'

Aleid lachte nog gemeen toen ze hoofdschuddend het erf af liep.

Was Gijsbert hier maar bij geweest, dacht Nele aangeslagen. Ze had Aleid vanzelfsprekend op rustige toon duidelijk moeten maken wat er werkelijk met zijn vrouw aan de hand was. Immers, Gijsbert hing het niet graag aan de grote klok, maar dat betekende nog niet dat hij iets te verbergen had! Ze had natuurlijk beter gewoon kunnen zeggen hoe het zat. Zou Aleid nu juist geen vervelende praatjes rond gaan strooien?

Waar was Gijsbert eigenlijk? Was hij wel in de zwingelkeet? Ze wist dat hij zich liever niet al te lang aan al dat stof blootstelde.

De arbeiders werden immers voor het geleverde werk en niet per uurloon uitbetaald, dus als ze niet hard doorwerkten, was hun loon ook lager.

Ze keek om de hoek in de zwingelkeet, maar zag hem niet. Ze aarzelde kort, maar ze vond dat ze hem nu beter kon gaan vertellen wat er net was gebeurd.

'Gijsbert,' riep ze zijn naam zo nu en dan als ze ergens om de hoek keek, maar niet zo hard dat iedereen het horen kon.

Hij kwam juist uit de paardenstal. 'Bruin lijkt een beetje kreupel te zijn,' begon hij te vertellen en hij wreef over zijn kin. Hij had zijn reiskleren uitgetrokken en zijn gebruikelijke werkkleren weer aangetrokken. 'Wat is er aan de hand, Nele?'

De tranen sprongen haar bijna in de ogen. 'Aleid Visser was net hier, zogenaamd om mijn schoonmoeder op te zoeken, maar dat was slechts een smoes als je het mij vraagt. Luister, op de een of andere manier hebben mensen in het dorp ontdekt dat je een vrouw hebt, en nu doet Aleid het voorkomen alsof je nergens voor deugt omdat je haar zomaar in de steek gelaten zou hebben.'

Ze was van streek, merkte ze.

Even zweeg hij nadenkend. Ze zag het verdriet in zijn ogen verschijnen, voor hij uiteindelijk zijn schouders ophaalde.

'Wel, ik kan er boos om worden, verdrietig of wat dan ook, ik weet hoe het zit en ze kletsen maar.'

'Hoe kun je daar zo nuchter onder zijn? Je weet toch ook wel dat het erg moeilijk is als mensen zo lelijk over je denken, zeker als het ten onrechte is?'

'Wat moet ik dan?' spotte hij. 'De dorpsomroeper op pad sturen en overal laten verklaren dat mijn vrouw knettergek is?'

Ze bloosde en was inmiddels nog meer van streek geraakt. Ze schudde haar hoofd.

'Er is immers niets om je voor te schamen? En in Mookhoek weet iedereen toch gewoon wat er aan de hand is? Waarom dan hier niet? Waarom moeten mensen daar gemeen over kletsen, terwijl er niets is waar jij je voor zou moeten schamen?'

‘Je hebt tranen in je ogen,’ merkte hij verbaasd op. ‘Vind je het zo erg dat ze over mij kletsen? Trek het je niet aan, Nele. Laat je er niet door van streek brengen, dat is het niet waard.’

‘Maar… ze vroeg ernaar en ik wist gewoon niet wat te zeggen.’

‘Zeg voortaan gewoon in het kort de waarheid. Laat de mensen verder maar kletsen. Dat doen ze nu eenmaal graag en als er geen echt schandaal voorhanden is, verzinnen ze er maar al te graag een, of maken ze dat van een of andere futiliteit.’

‘Doet het je dan geen pijn?’

‘Natuurlijk wel. Ik heb het niet voor niets zo veel mogelijk voor me gehouden, maar ik ben er wel altijd op een eerlijke manier mee omgegaan als dat nodig was. Dus als er nog eens naar gevraagd wordt, dan zeg je gewoon dat het klopt dat ik getrouwd ben, en dat mijn vrouw al jaren zit opgesloten in het dolhuis. Voeg er dan rustig aan toe dat je er verder ook niets van afweet. Verder toelichten is nergens voor nodig.’

Hij liep door.

Adrie kwam ook uit de paardenstal. ‘Bruin is kreupel.’

‘Dat zei Van Damme al,’ hakkelde Nele.

‘Is alles wel in orde?’

‘Ik weet het niet. Er wordt in het dorp over hem gekletst, daar heb ik hem voor gewaarschuwd, maar volgens mij neemt hij het veel te licht op.’ Ze voelde zich nog steeds van slag, al wist ze zelf niet goed waarom.

Binnen was moeder Los juist bezig met een tirade tegen Mina.

‘Wel moeder, als u weer net zo erg mopperen kunt als voor u ziek werd, dan is het misschien zover dat u met een beetje hulp weer snel naar uw eigen huis terug kunt,’ vond Nele aangebrand. ‘Ik zal dat zo snel mogelijk met oom en tante bespreken.’

Ze kon het niet helpen dat het eten haar niet smaakte, toen het middagmaal op tafel stond. Toen haar schoonmoeder daarna gebelgd ging rusten en Mina aangeslagen aan de afwas begon, besloot Nele dat ze er even uit moest en dat ze naar de boerderij van oom en tante zou lopen. Hard werken en stevig doorlopen in de buitenlucht waren altijd een uitstekende remedie tegen de zenuwen, bedacht ze.

'Deed mijn schoonmoeder weer vervelend tegen je?' vroeg ze zacht aan Mina.

De meid schokschouderde. 'Ik zou er zo langzamerhand aan gewend moeten zijn.'

'Ze is te gast hier en niet langer de baas, vergeet dat niet.'

'Dat schijnt ze zelf maar al te graag te vergeten, juffrouw Los.'

'Ik ga met mijn tante bespreken wat er moet gebeuren. We kunnen haar niet aan haar lot overlaten, maar we kunnen het ook niet laten gebeuren dat ze hier de hele sfeer bederft. En o, als mensen je op Van Damme aanspreken...'

'Ze zeggen dat hij zijn vrouw in de steek heeft gelaten. Maar ik houd mijn mond dicht en zeg gewoon dat ik van niets weet.'

'Dank je, dat is natuurlijk verreweg het beste.'

'Past u maar liever een beetje op!'

'Waarom?' vroeg Nele verbaasd.

'Omdat ik zie hoe u naar hem kijkt,' antwoordde Mina plotseling verlegen en ze bloosde dat het een aard had. 'Daar komt alleen maar narigheid van, juffrouw Los.'

Nu was Nele zelf zo verstandig om niet te reageren.

Het was buiten koud geworden. Het weer ging veranderen en er was een straffe wind opgestoken, maar in ieder geval koelde die haar gloeiende wangen af, dacht Nele cynisch. Toen ze even later bij haar tante de keuken binnenkwam, was die juist bezig een restant kleine pootaardappelen schoon te boenen. Een pan met reuzel stond vlak naast het fornuis klaar. 'Gaat u seuters bakken?' vroeg Nele verbaasd. 'Wat lekker! Maar hebben jullie dan nog niet gegeten?'

'Natuurlijk wel. Maar Schilleman wil vanavond seuters hebben, daar is hij immers dol op. Maar je kwam niet kijken wat ik aan het doen was,' merkte tante Lijsbeth nuchter op. 'Is Alie weer bezig, Nele? Wordt ze weer lastig nu het beter met haar gaat?'

'Zeker. Tante, ik zou graag met u en oom willen overleggen wat we toch met moeder aan moeten. Ik bedoel, ze kan toch ook niet jarenlang bij ons blijven en de sfeer in huis onder druk zetten? Maar aan de andere kant, tante, ik wil heel graag mijn christenplicht doen en ik kan haar toch ook niet naar haar huis terugsturen als ze niet goed voor zichzelf kan zorgen?'

'Ik heb steeds geweten dat dit moment zou komen.' Tante spoelde de seuters nog een keer af, depte ze toen droog en zette ze klaar. Vervolgens droogde ze haar handen af en smeerde die in met een spekzwoerdje om te voorkomen dat ze kloven zou krijgen. Daarna schoof ze bij Nele aan de keukentafel.

'Je ziet er geagiteerd uit. Maakt Alie het zo bont?'

Nele beet op haar lip. 'Soms. Ik probeer de hatelijke opmerkingen zo veel mogelijk te negeren. Het ene moment lukt dat echter beter dan het andere. Maar er is nog iets anders.' Voor ze het wist had ze verteld over het bezoekje van Aleid en over de roddels over Gijsbert.

Tante scheen even na te denken toen Nele haar hart had gelucht.

'Schilleman en ik zijn ervan op de hoogte dat hij getrouwd is, en we weten ook dat zijn vrouw noodgedwongen opgenomen moest worden in het dolhuis, omdat ze thuis een gevaar voor zichzelf en voor haar omgeving vormde. We hebben medelijden met hem, maar er is inderdaad niets aan die feiten te veranderen. Maar het is erg dat ze er in het dorp een schandaal van lijken te maken. Als jou ernaar gevraagd wordt, kun je gewoon het best in het kort zeggen hoe het zit, en verder niet ingaan op vragen of suggesties. Want dat leidt alleen maar tot meer vragen en nieuwe achterklap. Zo te zien heb je je er behoorlijk over opgewonden.'

Nele knikte en bloosde. 'Het voelde of ik zelf gekwetst werd.'

'Je bedoelt dat er dorpelingen zullen zijn die er je kinderen op aan gaan spreken met de suggestie dat er op hoeve Sofie dingen gebeuren die misschien het daglicht niet helemaal kunnen verdragen? Weet je, Nele, met zoiets kan een mens meestal nog het best omgaan door het gewoon te negeren.'

'Misschien doet moeder eraan mee?' zuchtte Nele aangeslagen. 'Het klinkt zo gemakkelijk, tante. Gijsbert zei overigens precies hetzelfde als u, maar ik heb het gevoel dat ik het voor hem op moet nemen.'

Tante knikte bedaard en zette ondertussen Nele een kom koffie voor. 'Ik neem er zelf ook een en heb er behoefte aan. Weet je, Nele, ik zou er nooit uit mezelf over begonnen zijn, maar ik heb je naar je bedrijfsleider zien kijken en als daarover gekletst gaat worden, dan heb je pas werkelijk een probleem.'

De rest van de dag leek Gijsbert in een opperbeste stemming te verkeren.

Nele was heel erg blij dat hij terug was, dacht ze zo nu en dan en dat maakte haar toch een beetje ongerust. Mina had het gemerkt, tante Lijsbeth ook al. Ze moest voorzichtig zijn en haar gevoelens blijkbaar beter verbergen, besefte ze na het avondbrood. Waarom zeiden sommigen dat het fijn was om verliefd te zijn? Nele vond het eerder moeilijk. Ze kon er maar beter niets meer van laten merken. Ze moest voortaan doorlopend opletten met wat ze deed en wat ze zei, en nu was ze aldoor bang dat nog meer mensen iets van die gevoelens zouden merken.

Die avond stapte ze met een onrustig kloppend hart bij hem binnen. Ze aarzelde, voelde zich zelfs verlegen.

'Hoe is het gegaan?' vroeg ze aarzelend toen hij vragend opkeek van de krant, en er zich duidelijk een glimlach om zijn lippen plooide toe hij zag dat zij het was.

'Goed. Uitstekend zelfs! De directeur van het bedrijf heeft me alles laten zien en ik moet zeggen: iedere vlasboer zou ervan op de hoogte moeten zijn, want er valt heel wat van zijn ideeën op te steken. Hij staat er tot mijn vreugde voor open dat ik daar mijn kennis opdoe en die probeer door te geven aan de boeren hier. Op mijn beurt kon ik vertellen van de achterneef van Joost Visser, die in België op reis is geweest en daar heeft gezien dat er wordt geëxperimenteerd met het warm stoken van water in grote bakken om het hele jaar door te kunnen roten.'

Nele schoot in de lach. 'Je denkt toch niet dat de grote vlasboeren zomaar ineens naar jou gaan luisteren?'

Hij haalde gelaten zijn schouders op. 'Niet meteen, nee. Dat verwacht ik ook niet. Maar als ze na verloop van tijd merken dat er andere ideeën ontstaan en dat daarmee mooie winsten worden gemaakt en dat ik kennis van zaken heb, komt dat vanzelf wel. En die kennis ga ik opdoen. Ik mag vaker langskomen. Als ik van tevoren een brief stuur – of zelfs opbel, want de man heeft telefoon net als onze dokter hier – kan ik een afspraak maken.'

'Je kijkt er verguld bij.'

'Zoals ik al eerder heb gezegd, Nele, ik ben nu eenmaal een boerenzoon, maar helaas heb ik geen eigen boerderij. Niet verstandig getrouwd, zoals anderen doen, om er door een huwelijk een te krijgen en daarop zelf te kunnen boeren. Bovendien heb ik nu eenmaal meer een leerhoofd, en dat kan ik in de toekomst zeker benutten. Ondertussen doe ik hier op hoeve Sofie weer de nodige ervaring op. Ik ga ervoor zorgen in gesprek te raken met de vlasboeren hier in de omgeving en zo bereid ik langzaam maar zeker een toekomst voor, waarvan ikzelf nog niet weet hoe die er precies uit gaat zien. Maar ik blijf niet levenslang bij anderen in dienst. Dat zeker niet.'

Ze glimlachte. 'Ik ben in ieder geval blij te weten dat je nog een paar jaar hier wilt blijven.'

'Dat zeker. Ik leid jouw zoon op zoals ik heb beloofd, ik leg ondertussen contacten, verrijk mijn kennis over allerlei nieuwe ontwikkelingen, en hoe het er ook uit zal gaan zien, ik ga er in de toekomst zeker iets mee doen.'

'Dus je hebt er geen spijt van dat je een paar dagen weg bent geweest?'

'Nee. Maar ik heb jou wel een beetje gemist, hoor.'

Ze bloosde dat het een aard had.

Hij grinnikte. 'Dat wilde je immers graag horen?'

Plaagde hij haar nu? Maar ze moest oppassen!

'Je bent gebonden, Gijsbert, en dat blijft zo. Het is niet passend om nu te zeggen dat ik je inderdaad heb gemist. Het kan niet. Het mag niet.'

Zijn gezicht werd meteen ernstig. 'Inderdaad, dat zijn verstandige woorden. Ik durf echter wel toe te geven dat me dat heel erg spijt.'

Ze keken elkaar ineens recht in de ogen. 'Mij ook.'

Hij schraapte zijn keel. 'Naar ik hoor vertellen heeft Joost Visser nog steeds interesse in je. Het zou een verstandige keuze zijn, Nele.'

'Dat kan zijn, maar ik wil het niet. Met Ger ben ik ooit getrouwd omdat mijn familie dat zo verstandig vond en ik heb er alle dagen spijt van gehad. Nee, Gijsbert. Ik weet net zo goed als jij dat wij samen geen toekomst hebben, maar dan blijf ik liever alleen.'

Hij probeerde er een luchtiger draai aan te geven. 'Als je zoon over een jaar of tien, twaalf is getrouwd, kun je hier misschien in het zomerhuis gaan wonen, misschien nog wel gezellig samen met je inmiddels hoogbejaarde schoonmoeder?'

'Maak er geen grapjes over. Niemand weet wat de toekomst nog op onze weg brengt.'

'Het spijt me.' Hij schoof zijn stoel achteruit. 'Ik heb wel degelijk gevoelens voor je, maar dat mag niet. Ik probeer dat soms achter een grapje of een verstandige opmerking te verbergen, maar Nele, als iemand het erg vindt dat ik gebonden ben en geen kant op kan met die gevoelens, dan ben ik dat wel.'

'Ik ook,' fluisterde ze.

In een paar stappen was hij bij haar. Hij draaide de olielamp laag, zodat niemand iets kon zien als er toevallig iemand over het erf liep, en ineens waren zijn armen om haar heen.

'Eén keer maar,' fluisterde hij ergens in haar haren, voor zijn mond die van haar zocht en vond.

Toen hij haar minuten later losliet en zich beschaamd over zijn eigen gebrek aan zelfbeheersing van haar af wilde draaien, legde ze haar handen om zijn gezicht. In haar hart wist ze eindelijk waarom haar huwelijk zo ongelukkig was geweest. Dit had haar man vroeger nooit in haar losgemaakt. Ze kon ineens begrijpen waarom sommigen ernaar verlangden, naar dat gedoe in de bedstee dat haar vroeger met zo veel afkeer had vervuld. Ze vroeg zich stiekem af hoe dat met hem zou zijn.

'Ik hou van je, Gijsbert. En al moet het hierbij blijven, ik wil dat je dat weet. Ik had niets liever gewild dan jou gelukkig te mogen maken.'

Hij zuchtte diep, dan streelde hij haar haren.

'Ik hou ook van jou. Maar het kan niet en het mag niet. In ieder geval zal ik hier blijven om je te steunen tot je zoon op eigen benen staat. Ik mag je zien, ik mag weten dat het goed met je gaat, maar we moeten hier nooit meer over praten en er liever ook niet eens aan denken. Maar Nele, als ik je ook maar ergens mee kan helpen, dan kun je altijd een beroep op mij doen.'

Ze knikte. 'Ik weet het. Met mij is het net zo. Het is in ieder geval heel bijzonder te weten dat er iemand is die mij wel goed genoeg vindt, die wel van me houdt, die wel graag bij mij wil zijn.'

'Was het zo erg, Nele, toen je getrouwd was?'

'Ja,' fluisterde ze met haar gezicht verborgen tegen zijn schouder en zijn armen nog steeds beschermend om haar heen geslagen. Wat voelde dit veilig! Hoe slecht het ook was, hoeveel schande de mensen er ook van zouden spreken als ze het te weten kwamen, maar bij Gijsbert was ze thuis.

En kon liefde eigenlijk ooit slecht zijn? Ze bedrogen niemand, ze gingen niet te ver. Bij deze kus, deze omhelzing, zou het voor altijd moeten blijven, maar ze waren beiden sterke mensen en dat zouden ze dus best kunnen.

'Als je elke dag te horen krijgt dat je niet goed genoeg bent, ja, Gijsbert, dat is heel zwaar. Op een gegeven moment ben ik dat daadwerkelijk gaan geloven.'

'En je kreeg het dubbelop. Van je man en ook van je schoonmoeder.'

Ze droogde haar ogen en ook haar wangen die nat geworden waren, voor ze een stap van hem vandaan deed, hoe zwaar haar dat ook viel.

'En toch voel ik nu een zeker soort medelijden met haar. Ik zal ervoor zorgen, hoe dan ook, dat er zo goed mogelijk voor haar gezorgd wordt, Gijsbert. Maar ze kan niet op hoeve Sofie blijven en net als vroeger mijn leven verzieken. Dat kan ik niet aan. Maar ze is en blijft mijn schoonmoeder en de grootmoeder van mijn kinderen. Het is mijn christenplicht om goed voor haar te zijn.'

'Dat is nobel van je. Moedig ook, want het zal zwaar worden. Wat je ook doet, veel dankbaarheid zal het je niet opleveren.'

'Nee, maar dat verwacht ik ook niet. Het zal me in ieder geval een rustig geweten geven. Ik heb er vanmiddag al met tante Lijsbeth over gesproken. We gaan samen een oplossing zoeken.'

'Goed dan.' Zijn armen hielden haar nog even vast, al was er nu een armlengte afstand tussen hen. Ze glimlachte. Zelfs in het laag gedraaide lamplicht kon ze de ontroering op zijn gezicht zien en ze wist dat hij precies wist hoe zij zich nu voelde.

'Het is mooi te weten dat ik, al is het dan in alle stilte, gewoon van je mag houden,' zei ze.

Hij knikte. 'En te weten dat het wederzijds is. Wel lieverd, ik moet je nu laten gaan. Als je schoonmoeder erachter zou komen dat je bij mij in het zomerhuis was terwijl het daar donker was, heb je jarenlang geen leven meer. Pas goed op jezelf.'

'Jij ook, Gijsbert.'

Eenmaal buiten keek ze eerst zorgvuldig om zich heen. Het erf was verlaten. De meeste mensen zouden al wel op bed liggen, want het was al ruimschoots negen uur geweest. Alleen in de keuken van hoeve Sofie brandde nog licht.

Maar eenmaal binnen was Nele weer alleen. De kinderen, Mina, moeder Los, ze waren allemaal al gaan slapen. Vanuit de mooie kamer klonk gesnurk.

Ze ging zitten voor ze ertoe kon komen om zich uit te kleden en ook te gaan slapen.

Ze hield van Gijsbert en hij van haar. Nee, ze zouden er nooit iets mee kunnen doen, maar op de een of andere manier was het toch goed om te weten dat er tenminste iemand was die van haar hield.

Ze vouwde haar handen om daarvoor te danken.

'Als jullie mij ervoor willen betalen, kan dat wel.'

Nele en tante Lijsbeth zaten in het huis van de buurvrouw van moeder Los, juffrouw Van der Pligt.

'Ik moet dus elke dag een paar keer bij haar om de hoek kijken, en zo een beetje op haar letten.'

'En als er iets is wat u zorgen baart, moet u ons laten weten dat er mogelijk iets aan de hand is. En tussen de middag voor u beiden koken, zodat u haar warm eten kunt brengen,' knikte tante Lijsbeth. Ze noemde een bedrag waar de buurvrouw dankbaar voor glimlachte. Ze was weduwe en had het niet breed.

'Jullie weten ook dat ik goed moet oppassen om rond te kunnen komen zonder schulden te maken.'

'Daarom juist,' zei Nele. 'De ene hand wast de andere, we zijn er allemaal mee gebaat. Aardappelen brengen we van de boerderij, bij gelegenheid ook groente en spek. Ik zal Keetje elke week een ochtend langs sturen om het huis schoon te houden, en de was van mijn schoonmoeder kan ze dan meenemen. Die doen we voortaan, net als nu het geval is, op hoeve Sofie.'

De drie vrouwen keken elkaar tevreden aan.

'Wel,' zei de buurvrouw. 'Dan schenk ik nog een bakje koffie in en...'

Er klonk herrie buiten, snelle voetstappen van mensen die door de straat renden, de klompen klepperden op de keien.

'Brand! Brand!'

18

De drie vrouwen keken elkaar geschrokken aan. Vergeten was de koffie, vergeten waren de dingen die ze te bespreken hadden. Ze haastten zich net als zo veel andere mensen naar buiten om te zien wat er aan de hand was.

Meteen roken ze de doordringende brandlucht die in de straten hing, en verderop in het dorp hing een wolk van rook die alles in een mist leek te hullen. Net als de andere mensen dromden ook Nele en tante Lijsbeth geschrokken met de mensen mee, dichter naar de brand toe, om te kijken waar de brand was en hoe erg het was.

Er hing ineens angst in het dorp. Niet veel later zagen ze wat ze al vreesden: een van de grote vlasschelven vlak bij het centrum van het dorp stond in brand. De vlammen lekten hoog boven de gortdroge schelf uit. De mannen met de brandspuit waren er al, maar zoals dat met een grote brand meestal het geval was, konden ze niet zo heel veel meer uitrichten. De brandhaard zelf zou wel als verloren moeten worden beschouwd. Het enige wat men kon doen was het nathouden van de dichtstbijzijnde gebouwen, in de hoop dat die gespaard konden blijven.

De kerkklokken begonnen te luiden. Dat gebeurde alleen bij groot gevaar, veroorzaakt door water of vuur.

Alle mensen renden door elkaar heen. De veldwachter was inmiddels ook gearriveerd en probeerde bijna wanhopig een beetje orde in de dreigende chaos te scheppen. Mensen vormden een lange rij om vanaf de kreekkant in het centrum van het dorp emmers water door te geven en daarmee de boerderijen nat te houden die het dichtst naast de brandende vlasschelf stonden. Vonken verspreidden zich echter in de opgestoken wind, en die werden zo goed en zo kwaad als het ging met doeken of een schop meteen uitgedoofd, zodat er niet nog een nieuwe brandhaard kon ontstaan, nu overal in het dorp de straten vol stonden met gortdroge vlasschelven. Als dat niet voorkomen kon worden, zou het dorp door een nog veel grotere ramp getroffen worden.

Aleid Visser stond even verderop met tranen in haar ogen toe te kijken, want de brandende vlasschelf stond vlak naast de boerderij van een van haar ooms. Ze werd vastgehouden door haar broer Joost.

'Hier blijven. Daar loop je gevaar of je loopt minstens iedereen voor de voeten en hindert bij het blussen,' hoorde Nele hem zijn zuster toevoegen.

De lucht werd grijzer en donkerder. Ging het maar regenen, hoopte Nele in stilte. Alles wat je bezat pal voor je ogen zien verbranden was immers iets verschrikkelijks! Vlas was enorm brandbaar. Iemand hoefde maar even onvoorzichtig te zijn met een sigarenpeuk of iets dergelijks, en het kwaad kon al geschied zijn. Het kon uiteindelijk iedereen gebeuren, en maar weinig mensen in hun dorp waren verzekerd, want het strenge geloof verbood dat.

'Het is broei,' dacht iemand vlak naast Nele te weten. 'De brand is halverwege de schelf ontstaan, niet onderin. Dan komt het vuur dus zo goed als zeker van binnenuit.'

Joost liet zijn zuster weer los om zich in de rij mensen te voegen die de emmers water doorgaven vanaf de kreekkant midden in het dorp. In de dichtstbijzijnde huizen stonden vrouwen ook emmers water op te pompen. Daarin werden doeken natgemaakt om de vonken te doven.

Nele merkte dat haar ogen gingen tranen van de rook, en om haar heen hoestten de meeste mensen net als zijzelf. Ze probeerde haar neus en mond af te dekken met haar schort, zodat ze daar minder last van zou hebben.

Brand maakte mensen altijd angstig. Ook Nele voelde haar hart snel in haar borst kloppen, al hoefde ze zelf geen onheil te vrezen. Hoeve Sofie lag bijna een kilometer buiten het dorp. Maar de angst in de ogen van velen raakte haar eveneens. Vanuit haar ooghoeken zag ze hoe Hokke op dat moment een arm om Aleid probeerde heen te slaan, maar die gaf hem prompt een klinkende oorvijg. Op een ander moment zou Nele daarom hebben kunnen glimlachen. Nu had ze eigenlijk alleen maar medelijden met Aleid. De boerderij van haar vader lag hier ook vlakbij en was zeker niet buiten gevaar.

Ze deed een stap opzij in de drukte, want al die rennende en schreeuwende mensen liepen kriskras door elkaar heen, een aantal van hen liep zeker meer in de weg dan dat ze iets nuttigs deden, besefte ze.

Ineens liep Joost weer voorbij. Hij keek haar in de ogen en hield zijn schreden in.

'Kom je kijken uit leedvermaak?' bitste hij op onvriendelijke toon.

Nele haalde diep adem. 'Dat heb ik niet verdiend, Joost. Het moet verschrikkelijk zijn voor je hele familie als de boerderij vlam vat. Ik hoop oprecht dat jullie de boerderij van je familie kunnen redden.'

'We doen wat we kunnen.'

'Dat weet ik.'

Hij rende alweer verder.

Alle mensen hielpen in de eerste plaats zo veel mogelijk mee om de huizen en boerderijen midden in het dorp te redden, want van de grote vlassers waren ze afhankelijk om hun brood te verdienen. Hele families werkten daar immers.

Nele wist niet hoelang ze daar gestaan had, eer ze begon te beseffen dat de vlammen niet meer zo hoog boven de vlasschelf uit lekten. Maar nu ontstond er een nieuw gevaar: de hoge schelf begon scheef te zakken. Het bovenste deel zakte in en de vlasschelf helde plotseling gevaarlijk over. Zo kon het vuur alsnog worden verspreid! Gelukkig viel er geen verbrand vlas en nog nagloeiende as op de boerderij die vlak naast de brandhaard stond.

Ze zag buurvrouw Van der Pligt, met wie ze even geleden nog zo prettig had zitten praten, met een bleek gezicht toekijken, haar ogen verborgen in haar verfrommelde schort, haar lippen prevelden ongetwijfeld een smeekgebed. Gijsbert en oom Schilleman stonden inmiddels ook in de lange rij mannen die emmers met water aandroegen, zag ze in een flits. Op dat moment merkte ze dat ze op haar benen stond te trillen. Het luiden van de kerkklokken duurde nog steeds voort en moest tot ver in de omgeving te horen zijn, net als de rookwolk die boven het dorp hing al in de verte te zien was. Ook in de naburige dorpen moest het doorgedrongen zijn dat hier iets verschrikkelijks aan de hand was.

Op de kerkklok zag ze geschrokken dat het inmiddels al lang en breed etenstijd was geweest en ze haastte zich naar de school om te kijken waar haar kinderen gebleven waren.

'We mogen naar huis,' vertelde Sofie met een ernstig gezicht. 'Zelfs de meester helpt met blussen.' Het meisje keek bang naar haar moeder.

Nele knikte en met z'n drieën liepen ze weg uit de rokerige drukte. Sofie hoestte steeds weer door de rook. Neles keel prikte hinderlijk. Het werd hoog tijd dat ze iets te drinken kregen, nu ze zo veel rook hadden ingeademd. Zou Mina bij het eten zijn gebleven?

Alles was een chaos. En als straks de mannen terugkwamen, moesten ze immers ook iets te eten hebben, nadat ze allemaal urenlang hadden gewerkt om de gevolgen van de brand zo klein mogelijk te houden en om huizen en boerderijen niet aan de vlammen ten prooi te laten vallen.

'Gelukkig zijn er geen mensen gewond geraakt,' troostte ze de twee kinderen.

Bart was nuchter. 'Voor broei moet elke boer immers uitkijken? En misschien heeft er wel iemand met een brandende sigaar of pijp langs de schelf gelopen die niet voorzichtig genoeg was.'

De keukendeur stond open en Mina keek in de richting van het dorp. 'Er is nog steeds rook, maar ik zie geen vlammen meer. De klokken luiden ook niet langer, dus het ergste gevaar is blijkbaar geweken. Iemand moest op de boerderij passen, juffrouw Los.

Dus ik ben hier gebleven toen iedereen als een gek naar het dorp rende.'

Nele knikte. 'Dank je, Mina. Er staat een schelf in brand, en tot nog toe hebben ze de omringende huizen nat genoeg kunnen houden om te voorkomen dat de brand over zou slaan. Alle mannen zijn op de been om te helpen.'

'Iedereen rende hier de zwingelkeet uit, toen de brandklokken begonnen te luiden.'

'Als ze terugkomen, moeten we water hebben zodat ze zich kunnen opfrissen, en ze moeten dan iets te drinken krijgen.'

'De zwingelaars hebben hun brood hier laten liggen. Dat kunnen ze gewoon opeten.'

'Natuurlijk, en ze hebben ook nog hun meegebrachte koude thee, maar iets anders hebben ze dan wel verdiend, zou ik zo zeggen.'

Een brand was altijd het gesprek van de dag in een dorp, en het zou nog een tijd duren eer alles weer rustig was geworden en ook deze brand weer min of meer vergeten werd. Dat gebeurde altijd met rampen of ongelukken, dat zou nu niet anders zijn.

Nele keek stomverbaasd op toen Hokke het erf op strompelde. Ze had hem niet met emmers water zien zeulen. Alleen bij Aleid had ze hem gezien. Ze rook de brandlucht in zijn kleren, maar wie rook er vandaag niet naar de brand, omdat alleen al het staan in de rook in je kleren trok.

'Heb je iets te drinken voor me?' vroeg hij en ach, waarom zou ze dat weigeren? De man hoestte lelijk. Dus gaf ze hem koffie uit de grote ketel die Mina net klaar had voor wie er dorstig uit het dorp terugkwam.

'Mijn boerderij ligt nog een stuk verderop. Als ik een beetje uitgerust ben, ga ik weer verder.' Ondertussen ging hij breeduit zitten en hij liet zich de warme koffie met genoegen smaken. Nele huiverde en voelde zich daar knap ongemakkelijk bij, maar ze zei er niets van omdat de situatie zo anders was dan gewoonlijk. Ze had gezien hoe hij een lelijke tik van Aleid had gekregen en dat moest zijn trots behoorlijk aangetast hebben. Hij zat immers nog steeds dringend om een vrouw verlegen, maar tot nog toe kreeg hij overal waar hij iets had geprobeerd de kous op de kop.

Eindelijk kwamen de mensen in groepjes teruglopen. De mannen van de brandspuit zouden nog een hele tijd in de buurt blijven om toezicht te houden op de nog nasmeulende puinhoop die alles was wat er van de enorm grote vlasschelf was overgebleven, vertelde Gijsbert, die zwarte vegen op zijn kleren had.

'We hebben de schelf uit elkaar getrokken en de laatste vonken gedoofd door erop te slaan. De hele straat ligt nu vol verbrand vlas. Of eigenlijk: vol as, want veel meer is er niet van over.'

Oom Schilleman schoof ook aan voor koffie en een borrel. Tante Lijsbeth voegde zich bij hen en moeder Los wilde het naadje van de kous weten over wat er allemaal in het dorp was gebeurd.

Maar al snel zette Mina de pan met eten in het midden, omdat het inmiddels al kwart voor twee was geworden en het eten bijna verpieterd was. Hongerig viel iedereen erop aan, tot Nele verbaasd vaststelde dat Hokke helemaal niet was opgestapt, maar dat hij nu aan haar tafel zat te schransen alsof hij in geen weken een fatsoenlijke maaltijd had gegeten.

Maar na het eten vatte ze moed. De kinderen moesten met Gijsbert mee naar de zwingelkeet en ze keek Hokke bijna de deur uit. Toen die nog steeds geen haast had, greep een grinnikende oom Schilleman hem bijna letterlijk in de kraag.

'Wij gaan op huis aan en jij moet dezelfde kant op, Hokke. Dank je voor het eten, Nele. Ik heb altijd geweten dat je een kranige meid was, maar na vandaag weet ik dat helemaal zeker.'

Ze bloosde bij het onverwachte compliment en zag nog net hoe Gijsbert grinnikend de deur uit liep.

'Hoe durf je me het huis uit te zetten nu ik zo ziek ben?' brieste moeder Los haar schoondochter een paar dagen later toe.

Nele moest op haar lip bijten om zich te beheersen.

'Ik zet u helemaal niet zomaar op straat,' verdedigde ze zichzelf impulsief, maar toch een tikje onzeker door de onverwacht felle woorden van de oudere vrouw, die bijna weer net als vroeger klonken. Toch was de klank van haar stem vastberaden. Dat haar schoonmoeder vooralsnog geen aanstalten had gemaakt om uit zichzelf te vertrekken, was wel duidelijk. Dat ze protesteerde nu er door Nele op haar vertrek aangedrongen werd, was natuurlijk best te verwachten geweest.

Nele haalde diep adem en dwong zichzelf het zich niet aan te trekken en kalm te blijven.

'Ik heb er niet alleen goed over nagedacht, moeder, en de mogelijke oplossingen met oom Schilleman en tante Lijsbeth besproken, we hebben het er ook met buurvrouw Van der Pligt over gehad en ik denk dat de gevonden oplossing de beste is voor ons allemaal.'

'Voor jezelf, bedoel je zeker. Je wilt natuurlijk niets liever dan mij zo snel mogelijk weer kwijt zijn. Maar teruggaan naar het dorp is niet de beste oplossing voor mij. Ik ben ziek, al schijn je dat voor het gemak te vergeten. Je moest je schamen, Nele!'

Het deed pijn en Nele werd er verdrietig van. Maar ze probeerde het zich niet aan te trekken. Na zo veel jaren moest ze toch een dikke huid ontwikkeld hebben, want het lukte nog ook. 'Juist wel voor u, moeder. Luister, Mina en Keetje gaan morgen uw huis schoonmaken. Als dat is gebeurd, brengen we u over een paar dagen weer thuis. De buurvrouw kookt voortaan elke dag voor u beiden, en brengt u uw middageten. Als er iets anders is dat niet meer lukt, kunt u het tegen haar zeggen. Ze zal u zo veel mogelijk helpen. Daar gaan we haar voor betalen. Maar we vergeten u echt niet. Elke week wordt u minstens twee keer opgehaald, om een dagje hier bij ons te kunnen zijn. Dan wordt u 's morgens opgehaald en brengen we u meteen na het avondbrood weer thuis. En natuurlijk zoeken we u ook op. Zodoende kunt u met een beetje hulp op uzelf blijven wonen. In het dorp heeft u immers veel mensen om u heen die u kent! Hier is overdag niet zo veel te beleven, omdat iedereen druk is met het werk, en u vindt het nu eenmaal niet fijn als u alleen gelaten wordt in de keuken of de mooie kamer. U klaagde er de laatste tijd immers vaak over dat niemand tijd had voor een gezellig praatje?' Dat iedereen de oudere vrouw zo veel mogelijk ontliep om vervelende opmerkingen te vermijden, voegde ze er maar liever niet aan toe.

'Ik wil helemaal niet terug naar het dorp. Ik...'

'Zo doen we dat, moeder,' reageerde Nele kordaat. 'Zoals ik al zei is dat besloten na overleg met oom en tante. Voor tante Lijsbeth is het ook te druk om u in huis te nemen. Zij heeft werk genoeg op de boerderij en geen jongere familieleden om haar daarbij te helpen, alleen maar personeel.' Dat ook tante Lijsbeth haar eigen zus liever niet alle dagen over de vloer wilde hebben, vermeldde ze evenmin. Ze keek haar schoonmoeder recht aan.

'Echt moeder, ik heb geprobeerd een oplossing te bedenken die goed is voor ons allemaal. Natuurlijk had ook ik liever gewild dat u gezond gebleven was. Maar wat er is gebeurd, zal blijvende gevolgen hebben, zegt de dokter, en we moeten met elkaar proberen daar zo goed mogelijk mee om te gaan.'

'Dus je laat me zomaar aan mijn lot over?'

'Nee moeder, helemaal niet. Alles is goed geregeld. U bent weer gezond genoeg om op deze manier nog een poos in uw eigen huis te kunnen blijven wonen. Als dat anders zou zijn, hadden we andere oplossingen moeten bedenken en dat hadden we dan ook gedaan. Heus waar.'

Toen haar schoonmoeder boos bleef kijken, besefte Nele dat wat ze ook deed – of juist niet deed – het haar altijd kwalijk genomen zou worden. Ze liep naar buiten en stond even later langs het erf over het vlakke winterlandschap te kijken.

Stel dat Ger niets was overkomen, dacht ze peinzend. Dan was haar leven zo zwaar en moeilijk gebleven als het in de jaren van haar huwelijk steeds was geweest. Andere mensen zouden het waarschijnlijk niet begrijpen als ze haar werkelijke gevoelens kenden. Ze voelde zich echter beduidend beter nu ze alleen was. Ze had zwaar onder haar slechte huwelijk geleden. En nu was er een andere man gekomen van wie ze was gaan houden. Van Ger had ze nooit op die manier gehouden.

Maar deze liefde zou haar geen geluk brengen, want al had Gijsbert op zijn beurt ook gevoelens voor haar, hij was gebonden en zou er niets mee kunnen doen. Tegelijkertijd was ze zich ook bewust geworden van het feit dat ze het prettig vond dat hij in de buurt was. Dat het haar een veilig gevoel gaf, te weten dat er een man op de boerderij was met wie ze over de gang van zaken kon praten. Met Adrie was dat toch heel anders, al was hij ook een man en een prima knecht.

Nele haalde diep adem. Maar goed, moeder Los kon mopperen wat ze wilde, ze ging terug naar haar huis. En als het in de toekomst weer slechter met haar ging, zou ze haar schoonmoeder heus in huis nemen om haar tot het einde toe te verzorgen, zoals dat nu eenmaal verwacht mocht worden.

Ineens voelde ze een last van haar schouders glijden. Het was zwaar geweest, haar schoonmoeder in huis te hebben, besefte ze. Ze had er het beste van gemaakt, eerlijk waar, maar ze was toch blij dat moeder Los er straks niet elke dag meer zou zijn.

Met rechte rug en ondanks alles opgelucht kwam ze even later weer binnen.

De volgende morgen kookte ze zelf. Moeder Los zei niet veel en scheen geaccepteerd te hebben dat het onvermijdelijk was dat ze hoeve Sofie weer ging verlaten. Tante Lijsbeth zocht haar op en Nele hoorde hen tegen etenstijd samen in de mooie kamer praten.

'Het is zo jammer dat je altijd zo lelijk tegen Nele doet, Alie. Als dat anders was, was niet alleen jouw leven waarschijnlijk een stuk aangenamer geweest, maar zeker ook dat van Nele.'

'Ze is geen knip voor de neus waard.'

'Dat zeg jij nu al jaren, maar Schilleman en ik denken daar

heel anders over. Nele is een lieverd en ze maakt er het beste van. Veel geluk heeft ze niet gekend met Ger, die net als jij bijna altijd lelijk tegen haar deed. Ik vind het jammer dat je dat nooit hebt willen inzien.'

'Lees jij mij nu ook al de les?' klonk het op bittere toon.

'Heb een beetje vertrouwen. Nele zal er heus voor zorgen dat het je aan niets ontbreekt en een paar keer per week ben je hier. Misschien kun je, als je dat te weinig vindt, ook een dag in de week naar Schilleman en mij komen. We zullen zien. Maar morgen ga je naar je eigen huisje terug en heb je meer gezelligheid dan hier, met de aanloop die er zeker zal zijn.'

Dat Nele daaraan twijfelde, hield ze maar liever voor zich. Lieve tante Lijsbeth, dacht ze echter, ze probeerde haar zuster iets duidelijk te maken en deed dat niet voor de eerste keer. Maar moeder Los zou heus niet zomaar veranderen, besefte ze. Ze had nu eenmaal een bitter karakter en had altijd op alles en iedereen commentaar. Daar won je geen sympathie van mensen mee.

Toen Mina en Keetje aan het eind van de dag terugkwamen uit het dorp, waren beiden opgewekt.

'Het huis is schoon, er ligt vers stro in de bedstee, ook frisse lakens, en de dekens hebben de hele dag gelucht. We hebben ervoor gezorgd dat alles wat uw schoonmoeder nodig mocht hebben, in huis is, juffrouw Los. En de buurvrouw gaat morgen zuurkool koken, want daar houdt ze zo van.'

Nele glimlachte. Die nacht sliep ze voor het eerst in weken weer eens heerlijk ongestoord door, om de volgende morgen uitgerust weer op te staan.

19

Hekelen gebeurde na het zwingelen. Bij die bewerking werden de lange vezels van de vlasplant 'over de hekel gehaald' of gekaard, dat wilde zeggen dat de eventuele klitten die erin zaten, eruit werden gekamd. Daarmee werden ook de laatste restjes afval alsnog verwijderd. Elke zwingelaar moest er zelf voor zorgen dat het vlaslint, dat nu helemaal schoon diende te zijn, ten slotte werd opgemaakt. Dat was de allerlaatste bewerking die het vlas onderging. Speciaal daarvoor was er ook op hoeve Sofie een apart opmaakhok, waar elke zwingelaar een eigen vak had in een groot rek.

Vlaslint was nu, als het goed was, schoon van resten stengels en kluitjes grond, en werd als laatste in knotten gedraaid. Knot na knot werd in het opmaakhok goed onder handen genomen, en als er toch nog iets in zat dat niet in het vlas thuishoorde, werd dat daar alsnog eruit gehaald, zodat het vlaslint uiteindelijk helemaal schoon was. Het allerlaatste hardnekkige vuil werd er zo nodig nog uit geschraapt met een schrabmes. Voor deze laatste bewerkingen hadden de zwingelaars zachte handen nodig. Waren hun handen ruw, dan bleef het fijne vlaslint daar gemakkelijk aan haken.

Daarna werden de knotten afgewogen in 'stenen'. Zo'n steen was een Engelse maat, en woog precies 2,82 kilogram. De uitbetaling van de arbeiders in de zwingelkeet gebeurde in deze stenen. Als er hard werd doorgewerkt door een goede zwingelaar, kon deze tweeënhalve steen per dag zwingelen, en voor één steen kreeg hij veertig cent uitbetaald. Samen opgeteld kon een goede zwingelaar dus een gulden per dag verdienen, en dat vormde een alleszins behoorlijk weekloon van vijfenhalve gulden. Maar als er iets tegenzat, werd dat bedrag natuurlijk niet gehaald – en er zat vaak genoeg iets tegen. Er ontstond regelmatig ruzie over. Als een knot vlas niet schoon genoeg was, werd de knot teruggegeven aan de betreffende zwingelaar, en het gebeurde nogal eens dat daarover verschil van mening ontstond en dat er dan lelijke woorden vielen.

Na deze bewerking was het vlaslint klaar om naar een spinnerij te gaan om daar te worden gebleekt en dan tot linnen te worden geweven. Goed vlaslint bracht doorgaans een mooie prijs op, maar had dan ook veel bewerkingen ondergaan en daardoor veel loon gekost. De prijzen die de vlasboeren voor hun vlaslint kregen, konden overigens erg wisselen. Er werd namelijk ook in Rusland veel vlas geteeld en de politieke situatie speelde ook een belangrijke rol. Linnen en wol vormden de belangrijkste grondstoffen voor alle textiel, al was er concurrentie van katoen.

Er waren opkopers die langs de bedrijven trokken om daar vlaslint op te kopen voor de spinnerijen. Dan kon de hele partij goed worden bekeken en worden gekeurd, en niet slechts een monster. Dat gebeurde wel bij de vlasboeren die liever op maandagmorgen naar de beurs in Rotterdam gingen, waar de linthandel plaatsvond. Soms kwam het voor dat een partij vlaslint die daar verhandeld was, weer teruggestuurd werd omdat de kwaliteit niet helemaal overeenkwam met het monster waarop was gekocht. Dat terugsturen van de koopwaar heette 'katten'. Soms probeerde een opkoper door het terugsturen van de partij vlas, die alsnog terug te kopen voor een lagere prijs, en dan hadden de vlasboeren doorgaans het nakijken. Soms echter was het katten ook terecht. Dan bleek de hele partij vlas van mindere kwaliteit te zijn dan het monster waarop de koop was overeengekomen.

Gijsbert liet graag met trots de mooi opgemaakte knotten vlas aan Nele zien. Maandenlang werken zou binnenkort worden beloond met naar hij hoopte een goede opbrengst. Nele glimlachte en diep in haar hart was ze trots op hem. Dit eerste jaar zonder haar man beloofde een goed jaar te worden en ze kon met opgeheven hoofd door het dorp lopen.

Gek genoeg kwam Hokke weer zo nu en dan bij hen langs, maar ze waakte er zorgvuldig voor zich zo snel mogelijk uit de voeten te maken als hij dat deed. Meestal kwam hij op de dagen dat moeder Los op de boerderij was. Dan zat het tweetal met elkaar te mokken over van alles en nog wat. Nele dook pas weer op als Hokke vertrokken was.

Op zondag in de kerk merkte ze regelmatig dat Joost Visser met een zeker ontzag naar haar zat te kijken tijdens de soms lang durende preek. Nu ja, dacht ze dan als ze met rechte rug in de kerkbank zat, ze kon trots zijn op hoeve Sofie. Bart was vroegwijs geworden na het verlies van zijn vader en de wetenschap dat hij er zo snel mogelijk klaar voor diende te zijn om de leiding van hoeve Sofie op zijn schouders te nemen. Eerlijk is eerlijk, mijmerde Nele dan, Gijsbert deed zijn werk uitstekend en de jongen volgde hem zo vaak mogelijk als een schaduw om maar zo veel mogelijk van hem te leren.

Het was al december geworden, toen er op een dag opnieuw een brief voor Gijsbert werd bezorgd. Nele was degene die de brief in ontvangst nam, en met bonkend hart legde ze die in het zomerhuis op tafel, waar Gijsbert het epistel wel zou vinden en waar hij het kon lezen zonder dat er daarbij opnieuw op hem gelet werd. Zou het eindelijk wat beter gaan met zijn vrouw? Of had ze een nieuwe poging gedaan in een lange reeks om... Nele durfde er niet eens aan te denken. Het zelf een einde aan het leven willen maken was immers een zware zonde, want dat diende in Gods hand te zijn en te blijven.

Gijsbert was op dat moment in gesprek met een opkoper. Terwijl Nele zich gespannen bezighield met het poetsen van het zilver, samen met Mina, kwam onverwacht een andere gast langs: Joost Visser, en dan nog wel in gezelschap van zijn immer bitter kijkende zuster Aleid. Hokke was er ook nog. Beide mannen keken elkaar aan en meteen was de spanning tussen hen voelbaar. Aleid schoof aan bij moeder Los en begon de laatste nieuwtjes uit het dorp te vertellen.

Nele had geen zin om daarnaar te luisteren. Toen ze naar de mooie kamer liep, werd ze gevolgd door Joost. Hij schraapte onzeker zijn keel.

'Nele... Toen ik hier weken geleden twee keer langs ben gekomen, zei je nog niet klaar te zijn om aan een nieuw huwelijk te willen denken. Maar nu is er meer tijd voorbijgegaan en... en... Wel, je hebt je zo kranig gehouden. Alles lijkt op hoeve Sofie op rolletjes te lopen en... en...' Hij keek haar verlegen aan. 'Ik zou nog steeds graag met je willen trouwen.'

Het zou een goed huwelijk zijn, in materiële zin, besefte ze nuchter, maar ze kon er niet omheen: haar hart was niet langer vrij. Al was Gijsbert gebonden en zou dat zo blijven, toch hield ze van hem. Ze zou er nooit iets mee kunnen doen, maar dat veranderde niets aan de feiten.

Ze kreeg er een kleur van en voelde zich op dat moment heel ongemakkelijk.

'Heeft Hokke misschien meer kansen?' vroeg Joost toen aarzelend.

Ze schoot prompt in de lach. 'Kom nu! Een veel oudere man! Niet al te schoon op zichzelf! Zes lastige kinderen op de koop toe! Die onnozele jongen van hem vertelde laatst weer in het dorp dat hij, echt waar, in de nacht van zaterdag op zondag een kat had gezien die zo groot was als een koe.' Ze schudde haar hoofd en dat gebaar liet niets aan duidelijkheid te wensen over.

Joost moest ook glimlachen. 'Ik hoorde het van Aleid. Het is natuurlijk een zielige knul. Kleine kinderen worden soms bang voor hem gemaakt, maar ik geloof niet dat er kwaad in hem schuilt. Hij is gewoon onnozel. Het is wel te begrijpen dat Hokke vergeefs achter een vrouw aanjaagt.'

'Volgens mij heeft hij het inmiddels geprobeerd bij alle vrouwen die ook maar enigszins in aanmerking komen.'

'Zelfs bij Aleid,' knikte hij. 'En al is ze er nog zo bitter over dat ze nooit getrouwd is geraakt, domweg omdat niemand anders ooit om haar hand kwam, Hokke wil ze niet. Maar hoe zit het ondertussen met jou?'

Ze bloosde en voelde zich verlegen worden. Als ze alleen naar haar verstand luisterde, moest een vrouw in haar positie dit aanbod met beide handen aannemen, besefte ze. Maar verstand en gevoel konden elkaar behoorlijk in de weg zitten. Dat was ook nu het geval. Ze hield immers van Gijsbert?

Na een diepe ademteug keek ze Joost recht aan. 'Het spijt me. Ik kan het niet. Nog steeds niet en misschien wel nooit, dat weet ik nog niet. Joost, je bent een aardige kerel, een goede boer, uit een welgestelde familie. Richt je op een ander, ik zou je het geluk van harte gunnen.'

'Jammer,' klonk het na een stilte die secondelang had geduurd.

'Bevrijd Aleid maar van mijn schoonmoeder en Hokke,' grinnikte ze. 'Gelukkig heb je Aleid, tot je iemand gevonden hebt die wel graag haar leven met je wil delen. Ik wens je oprecht het allerbeste toe.'

Hij knikte. 'Na een nieuw huwelijk van mij wil ze toch bij mij op de boerderij blijven wonen, net als nu. Ze woont in de opkamer. Weet je dat ze zelfs een heus bed wil laten maken bij de timmerman, omdat ze niet langer in een bedstee wil slapen?' Hij wierp nog een laatste onderzoekende en vragende blik op Nele.

Langzaam maar vastberaden schudde ze haar hoofd.

Hij begreep het. Even later was hij weg en een paar minuten later zag ze drie mensen naar de dijk lopen. Joost, Aleid en Hokke. Gelukkig, die ook.

Weer in de keuken keek moeder Los haar met priemende ogen aan. 'Wat kwam Visser eigenlijk doen?'

Nele had het gevoel met een mond vol tanden te staan, en ze zweeg tot haar schoonmoeder schamper lachte.

'Domme gans. Altijd geweest en dat zul je wel blijven ook!'

Nele voelde zich ongedurig. Daar kon ze natuurlijk niets van laten blijken, maar toch! De kinderen waren naar bed gegaan en sliepen inmiddels. Vlak na het avondbrood, toen het al donker was geworden, had Adrie moeder Los met de sjees terug naar het dorp gebracht. Het had de nodige voeten in de aarde om moeder Los na haar beroerte in het rijtuig te krijgen, maar als Gijsbert hielp, lukte het altijd. Moeder Los had boos gekeken toen ze wegreden, maar ach, moeder keek zo vaak boos, zeker sinds ze het leven niet langer naar haar hand kon zetten. Steeds meer kreeg Nele medelijden met de oudere vrouw, die machteloos leek te staan tegenover de problemen die de oude dag met zich meebracht.

Tante Lijsbeth was in de middag ook nog even langs geweest, want ze had Hokke langs zien komen. Joost en Aleid waren haar ontgaan, maar Nele bekende eerlijk en waar moeder Los bij zat, dat Joost een huwelijk tussen hen nog steeds zag zitten, maar dat zij dat toch had afgewezen. Tante Lijsbeth knikte en in haar ogen zag Nele tot haar opluchting iets van begrip.

Tante maakte zich een beetje zorgen om oom, vertelde ze daarna met een ernstig gezicht. Hij hoestte de laatste tijd bijna onophoudelijk en dat werd maar niet beter. Ze kon hem er niet toe krijgen om naar de dokter te gaan. Maar of dat zou kunnen helpen, wist ze ook niet. Tante Lijsbeth voelde zich bang, dat begreep Nele wel.

Het was iets wat alle boeren vreesden, dat hoesten. De meeste vlasarbeiders waren immers rond hun veertigste jaar al ziek geworden door de stoflongen. Ze kregen ook last van andere longkwalen. Dat oom hoestte was dus niet zo vreemd, al was oom minder in de stoffige zwingelkeet te vinden dan zijn arbeiders, die er noodgedwongen hele dagen zaten. Toch ademde ook hij genoeg stof in, en door dat stof werden de mensen ziek. In de volksmond werd dit 'longtering' genoemd. Tante voelde zich zichtbaar beter toen ze haar hart had kunnen luchten, en dat hielp om haar angst terug te dringen. Als oom ziek zou worden, was dat immers niets anders dan de wil van God?

Nu zat Mina sokken te stoppen en Keetje breide een paar lange zwarte kousen voor zichzelf. Het was rustig in de keuken. En het was een enerverende dag geweest, mijmerde Nele boven de krant die ze op de keukentafel had uitgespreid om die te kunnen lezen, maar ze kon haar gedachten niet houden bij wat ze las. De letters dansten bijna voor haar ogen.

Toen de deur even later openging, keken ze alle drie verbaasd op.

Het was Gijsbert. Zijn gezicht zag grauw, zag Nele direct en de onrust was plotseling verklaarbaar. Wat zou er in de brief staan, die ze die middag op zijn tafel had neergelegd?

'Kan ik je even spreken, Nele?'

'Vanzelfsprekend.'

Hij knikte naar buiten, want in de opkamer zouden ze maar al te gemakkelijk afgeluisterd kunnen worden door Mina of Keetje als die hun oren zouden spitsen.

Nele beefde toen ze opstond en achter hem aan naar buiten liep. Hij beende voor haar uit zonder op of om te kijken en liep naar het zomerhuis. Zij haastte zich door de kille avond achter hem aan, huiverend in haar zwarte omslagdoek. Er hing sneeuw in de lucht, besefte ze. Het zou waarschijnlijk wel gaan vriezen.

'Het is nu vrijdag,' begon Gijsbert strak, zodra ze de deur achter zich dicht had gedaan. 'Maandag ga ik naar de stad. Ik ga met een partij vlas naar de beurs. Maar dat is slechts een dekmantel.' Hij klopte op de geopende brief die op tafel lag. 'Ze heeft het weer eens geprobeerd, Nele. Deze keer was het haar bijna gelukt. Hoe het haar is gelukt weten ze niet, maar ze kreeg een mes te pakken en heeft zichzelf nogal toegetakeld. Ze had al veel bloed verloren toen ze haar vonden. Op het moment dat de brief is geschreven, drie dagen geleden, was ze buiten kennis door het bloedverlies. Misschien gaat het ondertussen weer beter met haar.'

'Je kunt ook morgen gaan,' dacht Nele hardop terwijl ze probeerde weer rustig te worden, wat echter niet zo best lukte.

Hij knikte bedachtzaam. 'Er is de afgelopen tijd soms geklets geweest over mijn huwelijk, dat weet ik. Ik heb er echter nooit veel over willen zeggen. Hoe minder de mensen het naadje van de kous weten, hoe beter dat is wat mij betreft.'

'Inmiddels wordt wel degelijk rondverteld dat ze krankzinnig is en opgesloten zit.'

Hij slaakte een moedeloze zucht. 'Ik weet het. Ik wil het niet beamen en ik kan het niet ontkennen. Ik zeg er maar het liefst zo weinig mogelijk over. Maar nu maak ik me erg ongerust.'

'Dat is te begrijpen. Ik zou niet tot maandag wachten, als ik jou was. Misschien knapt ze ervan op als ze jou ziet.'

'Het tegendeel zal eerder het geval zijn.' Zijn stem klonk bitter.

'Je hebt een zwaar lot te dragen, Gijsbert. Dat weten we hier allemaal. Je hebt er zelf helemaal geen schuld aan, het is je domweg overkomen. Als mensen daar schande van willen spreken, moeten ze dat zelf weten. Het is uitstekend dat je er niet meer over zegt dan strikt nodig is, maar je hoeft je er niet voor te schamen. Ga morgen naar Rotterdam en vergeet het vlas als dekmantel. Bij ons komt immers al jaren dezelfde opkoper langs, met wie we doorgaans goed zaken kunnen doen.'

Hij aarzelde echter nog steeds.

'Misschien is ze weer bij bewustzijn gekomen,' ging Nele zacht verder. 'Misschien is er iets wat je voor haar kunt doen.'

Ze zag hem rillen. Even later trok hij een stoel onder zich en hij legde zijn hoofd op zijn armen. Ze zag hem schokken. Hij huilde, besefte ze, en eerst wist ze niet goed wat te doen, maar dan legde ze haar hand op zijn haar en streelde dat. Het voelde zacht en dik aan. Gijsbert had een mooie kop met donker haar, en dan die bijzondere grijze ogen met bruine vlekjes erin. Ze voelde heel haar hart naar hem uitgaan en zou niets liever willen dan dat ze het recht had om haar armen om hem heen te slaan.

Had hij toch verdriet om zijn vrouw? Was er misschien toch nog iets overgebleven van de liefde die hij ooit voor haar had gevoeld? Want dat ze ziek was, dat was duidelijk. Het moest verschrikkelijk zijn als je zo moest leven. Tegen wil en dank leven en dan keer op keer tevergeefs proberen om eraan te ontsnappen. Hoe erg dat ook was. Want zou er niet ooit over haar geoordeeld worden? Zou Ingetje daar dan niet bang voor zijn? Of drong dat niet meer door in een krankzinnig geworden brein? Wie zou daar ook maar iets van kunnen begrijpen? Ze had destijds gezien hoe haar moeder het steeds benauwder kreeg en bloed spuwde en ten slotte naar het einde verlangde in de laatste fase van haar leven. Nele had er bewondering voor gehad dat haar moeder dat alles zonder klagen verdroeg, al bad ze vaak hardop om de Here te vragen haar eindelijk thuis te halen en daarmee een einde te maken aan haar benauwdheid.

'Toe Gijsbert,' fluisterde ze terwijl ze het niet kon laten zijn haren te blijven strelen, en daarna zijn wang. Hij werd er kalmer van. Het snikken hield na een tijdje op. Maar het duurde nog een poos eer hij zijn hoofd optilde en zij haar hand weer terugtrok. Zijn ogen waren rood geworden en opgezwollen.

'Ik heb geen verdriet,' zuchtte hij. 'Daar schaam ik me weleens voor, maar ik heb wel medelijden met Ingetje en ik heb er ook angst voor. Wie weet wat ik nu weer aan zal treffen als ik haar op ga zoeken.'

Ze knikte en voelde zich net zo machteloos als hijzelf. 'Ga maar en blijf net zolang weg als nodig is. Als het zo slecht met haar gaat, heeft ze misschien je steun nodig. Praat er met de dokter over die in het dolhuis voor de zieken zorgt.'

Hij slaakte nogmaals een zucht. 'Soms denk ik dat ik het niet langer verdragen kan,' bekende hij toen moeilijk.

'Het is zwaar, heel zwaar,' knikte ze. 'Ik weet immers maar al te goed wat het betekent om een slecht huwelijk te hebben, maar wat jij moet doormaken is nog veel erger.'

'Dat weet ik niet.' Hij stond op, schonk een borrel in en sloeg het kleine glaasje in één teug achterover. Toen haalde hij opnieuw diep adem. 'Het ergste is dat ik me zo schuldig voel,' klonk het toen, en hij keek haar niet langer aan.

'Maar waarom dan? Je hebt er altijd voor gezorgd dat ze zo goed mogelijk terecht is gekomen.'

'Je hebt er geen idee van hoe het er in een dolhuis aan toegaat, Nele. Als ik eerlijk ben, vind ik het mensonterend. Maar een krankzinnige die niet langer thuis kan blijven...' Zijn stem haperde. 'Mijn broer heeft jaren geleden eens voorgesteld om haar op de zolder thuis op te sluiten, een luikje in de deur te maken om eten naar binnen te schuiven en haar dan verder aan haar lot over te laten, en haar goed vast te binden als ze gewassen en verschoond moest worden en de zolder schoongemaakt moest worden. Ik wilde dat niet. Een vervuilde vrouw, met alleen een emmer om haar behoeften in te doen... Het dolhuis was ondanks alles toch een betere oplossing. De beslissing nemen dat ze weg moest omdat het echt niet langer ging, was de moeilijkste van mijn leven. Geloof je dat?'

Ze knikte, durfde niets te zeggen.

Hij schonk nog een borreltje in, maar nipte er slechts aan. Gijsbert was geen drinker, wist Nele inmiddels, maar nu was de spanning blijkbaar te groot om te dragen.

Eindelijk keerde hij zich om. Zijn gezicht stond nog steeds strak, maar hij had een vastberaden trek om zijn mond gekregen. 'Goed dan, ik vertrek morgenochtend al vroeg. Als ernaar gevraagd wordt, zeg je alleen maar dat ik voor familieomstandigheden weg ben. Licht verder niets toe. Dat wil ik niet.'

'Uitstekend, het is immers de waarheid?'

'Ik hoop 's avonds weer terug te komen, maar ik weet dat natuurlijk niet zeker. Het ligt eraan wat ik daar aantref. Op zondag mag vanzelfsprekend niet worden gereisd, dus het kan wel maandag worden.'

'Of nog later. Neem de tijd die nodig is. Ik red me wel, samen met oom Schilleman. Adrie houdt wat meer toezicht op de zwingelaars dan wanneer jij er bent, en als ik iets moet vragen of niet weet, kan ik immers altijd bij oom terecht?'

'Goed dan. Maar Nele...'

Ze zag zijn aarzeling. Ze liep niet weg toen hij onverwacht een paar stappen in haar richting deed, en ze vond het een heerlijk gevoel toen zijn armen zich even later om haar heen klemden alsof hij een reddingsboei te pakken had.

'Nele, het is zondig, maar ik hou zo veel van je en...' Zijn mond ving de hare en ze verloor zich in zijn kus.

Toen hij haar eindelijk losliet, voelden ze zich beiden schuldig.

'Dit had natuurlijk niet mogen gebeuren,' hakkelde hij verlegen.

Het was heerlijk, had ze willen zeggen, maar dat durfde ze niet. Hun blikken haakten zich echter woordeloos in elkaar. Liefde is een groot geschenk, wist ze inmiddels. Maar ze zouden er niets mee kunnen doen en daar moesten ze zich bij neerleggen.

'Sterkte, Gijsbert. Ik zal je ontzettend missen, en in mijn hart reis ik met je mee.'

'Als alles anders was...' zuchtte hij.

'Het is niet anders,' antwoordde ze zacht, voor ze zich naar buiten haastte, en ondanks de kou bleef ze aarzelen voor ze de warmte van de keuken weer opzocht.

Ze hield van Gijsbert en hij hield ook van haar. Daar twijfelde ze niet meer aan. Maar er kon niets van komen en dat wisten ze beiden.

20

Gijsbert kwam niet terug, niet diezelfde zaterdag, niet op maandag en zelfs op dinsdag niet. Het moest dus erg zijn wat hij in de stad aantrof, besefte Nele, die er grote moeite mee had haar ongerustheid zo goed mogelijk verborgen te houden. Ze maakte zich zorgen om hem. Ze miste hem bovendien meer dan ze voor mogelijk had gehouden. Ze vroeg zich bezorgd af hoe hij eraan toe zou zijn als hij op een gegeven moment weer terug zou zijn. En tegelijkertijd moest ze naar buiten toe net doen alsof het haar niet uitmaakte dat hij er niet was.

Toen oom Schilleman op zondag naar Gijsbert vroeg toen ze na de kerkdienst bij moeder Los koffiedronken, zei ze eerlijk dat hij naar Rotterdam was omdat zijn vrouw ziek was.

Toen het eenmaal dinsdag was geworden en oom Schilleman poolshoogte kwam nemen, kon Nele eindelijk haar ongerustheid uiten.

'Zijn vrouw is heel erg ziek, dat kunnen we nu rustig aannemen,' stelde oom haar gerust. 'Ik weet niet precies in hoeverre jij van alles op de hoogte bent, Nele. Gijsbert praat niet graag over zijn persoonlijke situatie.'

'Ik weet alles over zijn vrouw,' gaf ze toe.

Oom nam haar monsterend op. 'Hij had er beter gewoon duidelijk over kunnen zijn. Arme kerel. Op de een of andere manier lijkt hij wel te denken dat het allemaal zijn eigen schuld is. Terwijl zijn vrouw gewoon ziek is, maar dan in haar hoofd.'

'Er zijn mensen die krankzinnigheid geen ziekte noemen, maar een straf van God vanwege enorme begane zonden. Er zijn anderen die lijken te denken dat hij haar zomaar op heeft laten bergen om van haar af te zijn. Mensen oordelen soms zo gemakkelijk, oom. Terwijl ze er feitelijk geen notie van hebben wat er zich daadwerkelijk afspeelt.'

'Bij krankzinnigheid wordt al snel gedacht dat het wel meevalt. Denk maar aan die onschuldige knaap van Hokke. Die is gek, die zien de mensen vaak doelloos rondlopen. Ze zien het aan hem dat hij ze niet allemaal op een rijtje heeft. Een vreemde knul, die er niet veel van snapt, maar die verder ook geen schade aanricht. Zo onschuldig zien de meesten waarschijnlijk ook krankzinnigheid. Maar zo is het natuurlijk niet altijd.'

Nele zuchtte. 'Ik ben zo bang dat hij niet meer terugkomt,' uitte ze haar grote zorg die steeds meer op haar drukte.

De reactie van oom Schilleman verraste haar. Hij schoot in de lach.

'Ik zie niet in wat daar zo leuk aan is,' protesteerde ze dan ook meteen.

De ogen van oom namen haar onderzoekend op. 'Hij komt terug.'

'Hoe weet u dat zo zeker?'

'Omdat ik er door je tante op gewezen ben om eens goed op te letten hoe hij naar jou kijkt.'

Ze kreeg tegen wil en dank een kleur als vuur.

'Lieve Nele, het is duidelijk dat er iets tussen jullie aan het opbloeien is. Het is ook duidelijk dat jullie vreselijk je best doen daar niet aan toe te geven en er niet over te praten, want het mag niet en het kan niet en mensen zullen snoeihard over jullie oordelen als ze te weten zouden komen dat jullie het liefst met elkaar verder zouden willen gaan, terwijl hij al een vrouw heeft.'

Ze staarde verlegen naar de grond. 'Zou het anderen ook opgevallen zijn?' vroeg ze zich angstig af.

'Welnee. Er gaan nog steeds geen praatjes over jullie rond, dus ik weet bijna zeker van niet. Ons dorp is gek op sappige schandaaltjes, dus als iemand als bijvoorbeeld Aleid Visser ook maar iets zou vermoeden, werd er al snel over niets anders meer gekletst.'

'Oom!'

'Maak je niet zo veel zorgen, Nele. Als Gijsbert weer terug is gekomen, horen we wel wat er precies aan de hand is. En hij komt terug, lieve kind. En niemand zou het je meer gunnen om gelukkig te mogen worden met elkaar dan tante en ik. Maar we weten ook hoe de zaken ervoor staan en dat er dus niets van kan komen. Sterkte ermee. Doe alsjeblieft alsof het gewoon is dat hij er niet is. Mij werd er door Adrie ook al naar gevraagd. Ik heb gezegd dat hij iets moest regelen en misschien ook weer in Rijsoord langs is gegaan. Verder zeg ik er zo min mogelijk over, want we weten immers nog niets.'

Ze probeerde na dit gesprek haar bezorgdheid zo goed mogelijk te verbergen.

Op woensdag ging ze naar het dorp. Moeder Los wilde vandaag niet komen, want ze voelde zich niet zo lekker, zei Adrie toen hij terugkwam van zijn vaste rit om de oudere vrouw op de woensdag en de vrijdag naar hoeve Sofie te halen. Het maakte Nele ongerust. Adrie had er niet bij stilgestaan om door te vragen wat er precies aan de hand was. Dus liep Nele later die morgen naar het huis van haar schoonmoeder om te kijken wat er eigenlijk met haar aan de hand was.

Moeder Los lag hoestend in de bedstee.

'Moeder, we missen u vandaag. Voelt u zich zo beroerd?' Nele voelde aan het voorhoofd. Moeder gloeide. Het was duidelijk dat ze koorts had. Maar er waren meer mensen met griep, nu het winterweer behoorlijk doorzette en Kerstmis in zicht kwam, dus daar hoefde ze niet van op te kijken.

'Zal ik azijnsokken maken om de koorts te verlagen?' stelde ze voor. Ze ging meteen aan de slag, want het aantrekken van sokken die doordrenkt waren met azijn was een probaat middel om de koorts een beetje te laten zakken.

Blijkbaar had buurvrouw Van der Pligt haar zien lopen, want ze kwam even later ook naar binnen.

'Griep. Misschien moet de dokter erbij komen, juffrouw Los, want uw schoonmoeder is na haar beroerte toch geen gezonde vrouw meer die wel een stootje velen kan.'

Nele knikte en wees op de azijnsokken. De andere vrouw begreep het en knikte.

'Ik ga meteen bij het doktershuis langs om te vragen of de dokter even komt kijken als hij de ronde doet na het spreekuur,' knikte ze.

'Moet ik hier blijven om voor haar te zorgen?'

'Dat doe ik wel. Ik ben altijd blij als ik iets voor een ander kan doen,' beloofde de vrouw. 'En als het ernstiger wordt en ik ga me zorgen maken, laat ik dat meteen weten.'

'Goed dan. Ik zal Adrie meteen na het avondbrood langs sturen om te vragen wat de dokter heeft gezegd en om te vragen of wij nog iets kunnen doen. En denk erom, als het nodig is, komt mijn schoonmoeder terug naar hoeve Sofie.'

'Dan krijgen jullie allemaal griep, de kinderen ook! Kom zelf ook maar liever niet te dicht in haar buurt, zou ik zeggen. Kortom, ja, uw schoonmoeder is ziek en ik verzorg haar. En ja, als het erger wordt, mag u beslissen wat de beste oplossing is, maar als ze gewoon weer beter wordt over een paar dagen, hoeven we ons verder geen zorgen te maken.'

'Goed dan,' reageerde Nele gerustgesteld. 'Bent u het ermee eens, moeder?' vroeg ze toen.

De vrouw in de bedstee hoestte weer en knikte. 'Ik wil alleen maar slapen.'

Min of meer gerustgesteld liep Nele even later terug naar hoe 0ve Sofie.

En ja hoor, alsof de duivel ermee speelde, daar liep ze Aleid tegen het lijf!

'Ze zeggen dat je bedrijfsleider weer bij zijn vrouw is ingetrokken.'

Even stond Nele met haar mond vol tanden.

Aleid lachte een tikje vals. 'Dat hoort natuurlijk ook zo. Dat had hij al veel eerder moeten doen! En voor het geval dat je het zonder bedrijfsleider niet redt: mijn broer hoeft je ook niet meer. Dan blijft alleen Hokke voor je over.'

Even was Nele verbijsterd. Toen vermande ze zich en ze probeerde zo kalm mogelijk te blijven.

'De vrouw van Gijsbert van Damme zit al jaren in het dolhuis in Rotterdam, omdat het echt niet anders kon. Ze was ziek en hij is haar op gaan zoeken. Dat hoort zo, inderdaad. En ik heb nooit nagedacht over een huwelijk met je broer of met Hokke en dat blijft zo, Aleid. Maar ik heb ook een echt nieuwtje voor je: mijn schoonmoeder heeft de griep. We vragen de dokter om vandaag voor alle zekerheid bij haar te gaan kijken, maar o, voor het geval je dat ook wilt rondbazuinen: we hebben geen ergere ziekte te verbergen en zijn ook niet te beroerd om zelf op hoeve Sofie voor haar te zorgen als dat nodig is.'

Toen ze doorliep had ze er bittere spijt van dat ze zich had laten verleiden zo onaardig te doen.

Want het laatste wat ze wilde was ooit te gaan lijken op haar schoonmoeder: bitter en hard.

Ze keerde zich om. Aleid stond haar nog na te staren. Nele liep impulsief terug.

'Het spijt me, ik wilde niet onaardig zijn. Maar soms heb ik er behoorlijk moeite mee als er zo bitter gesproken wordt over wie dan ook. Probeer eens wat aardiger te zijn voor de mensen, Aleid, dan zijn ze ook aardiger tegen jou en wordt je leven er alleen maar plezieriger op. Kijk naar je broer Joost! Al wil ik niet met hem trouwen, hij is een prima kerel en iedereen mag hem graag. Dag.'

Daarna keerde ze zich om en liep weg. Maar ze voelde zich ineens stukken beter.

Het was al zaterdag tegen de middag eer Gijsbert terugkwam. Van de tramhalte kwam hij met gebogen rug naar hoeve Sofie lopen.

Nele voelde het als het ware, want ze was naar buiten gelopen en zag hem al in de verte aankomen. Haar hart hamerde in haar borst. Eindelijk, eindelijk! Maar goed nieuws kon hij niet hebben, want zijn verslagen en gebogen houding sprak boekdelen.

Zonder iets te zeggen verdween hij in het zomerhuis. Nele

durfde hem niet te storen, en ze verbeet zich bijna van de zenuwen. Pas toen Adrie naar haar toe kwam met de vraag waar Van Damme gebleven was, besefte ze dat ze iets moest doen.

'Ik heb hem inderdaad ook terug zien komen, Adrie,' reageerde ze, naar ze hoopte uiterlijk net zo kalm als gewoonlijk, maar zeker was ze daar niet van. 'Waarschijnlijk is hij moe en is hij een poosje gaan slapen. Straks na het avondbrood ga ik wel even bij hem kijken.'

De knecht keek bezorgd. 'Ze zeggen dat hij naar zijn vrouw is geweest, die ziek zou zijn en ook dat ze knettergek is.'

'Dat is waar. Ze kon niet langer thuis blijven wonen, want soms was ze niet alleen een gevaar voor zichzelf maar ook voor anderen. Toen hebben ze met elkaar de moeilijke beslissing genomen dat de beste oplossing het dolhuis was. Daar is ze nu al jaren.'

'Is dat zo?' Adrie keek geschokt. 'Maar dat is vreselijk voor die man.'

Nele knikte. Ze had er heel veel aan toe kunnen voegen, maar dat deed ze niet.

'Hij praat er bijna nooit over, maar de laatste dagen is er wel veel over gesproken, heb ik in het dorp gemerkt.'

'Wel, hier loopt alles op rolletjes. Als ik ergens niet zeker van ben en het ook niet kan vragen, dan denk ik maar: wat zou de baas vorig jaar gedaan hebben? En dan doe ik het maar zo.'

Nele glimlachte. 'Je werkt al zo lang hier, dus je weet heel goed hoe mijn man destijds problemen oploste.'

Adrie knikte. 'Wel, we merken nog wel wat Van Damme er zelf over kwijt wil, juffrouw Los.'

Weer binnen kondigde ze aan nog naar het dorp te gaan. Met een paar eieren en vers gekookte karnemelkse gortepap die Mina had gemaakt en waar moeder Los erg van hield, vertrok ze. Ze nam ook een kannetje met stroop mee, want moeder at die pap het liefst warm en met stroop.

Het lopen deed haar goed, merkte ze onderweg. Ze werd er

rustiger van. Gelukkig was er geen nieuwsgierige Aleid te zien. Tot haar verrassing zag ze Hokke bij buurvrouw Van der Pligt zitten en ze grinnikte in zichzelf. Er waren nog maar weinig weduwen over in het dorp bij wie hij zijn geluk niet had beproefd, dus nu kwamen blijkbaar zelfs vrouwen aan de beurt die al wat ouder waren en die hem zeker niet nog meer kinderen zouden kunnen schenken.

De glimlach lag nog om haar lippen toen ze het huis van haar schoonmoeder binnenstapte.

Deze zat in haar leunstoel en keek – Nele was geneigd om te zeggen: gelukkig – weer even nors en ontevreden naar haar als altijd.

'Zo, ben je daar eindelijk? Nog even en het is donker.'

'U bent vast een heel stuk opgeknapt,' glimlachte Nele alsof er geen onvriendelijkheden naar haar hoofd werden geslingerd. 'Is de koorts nu helemaal weg?'

De oudere vrouw knikte. 'Ik ben zo slap als een vaatdoek.'

Nele stak het in een theedoek geknoopte pannetje naar voren. 'Warme karnemelkse pap, net door Mina gekookt, speciaal om u een beetje te verwennen. Ik heb ook stroop meegenomen en ga een lepel pakken. Wilt u een bord hebben?'

'Nee, ik eet het wel uit de pan, anders koelt de pap onnodig af.'

'Wat u overheeft, kunt u morgenochtend bij het ontbijt opeten. Even op het fornuis zetten en omroeren, het is zo warm.'

De oudere vrouw mompelde wat, maar even later zat ze met smaak te eten.

'Van Damme is ook weer terug,' vertelde Nele bijna langs haar neus weg.

'Waar was hij dan?'

'Naar de stad voor een paar dagen. Wel, zodra u zich sterk genoeg voelt, halen we u weer een dagje op, moeder. Maar zondag zo lang in de harde kerkbanken zitten zal nog wel te veel gevraagd zijn.'

'Zou het? Dan staat er weer een ontevreden ouderling op de

stoep om te vragen waarom ik er niet was. Ze bemoeien zich ook werkelijk overal mee en...'

Gelukkig, dacht Nele. Moeder at met smaak en mopperde niet alleen op ouderlingen, maar ging onverdroten verder met allerhande andere zaken die haar in de afgelopen dagen blijkbaar niet hadden gezind.

Toen ze even later terugliep naar de boerderij, voelde ze zich bijna vrolijk.

Alleen Gijsbert, dacht ze zodra ze het zomerhuis zag liggen. Wat was er toch met hem?

'Mag ik binnenkomen?'

Hij zat zoals meestal aan de tafel. De olielamp erboven brandde, maar was zo laag gedraaid dat die niet veel licht gaf. Hij keek op en toen hij Nele zag, glimlachte hij.

'Daar ben je dan.'

Ze voelde zich onzeker. 'Ik zag je terugkomen, maar je zonderde je af en je zag er zo terneergeslagen uit dat ik je eigenlijk niet durfde te storen.'

Hij keek haar recht aan. 'Het is voorbij, Nele.'

'Wat is voorbij?' Ineens stak de onderdrukte ongerustheid in volle hevigheid de kop weer op.

'Gisteren heb ik Ingetje begraven. Ik was de enige die erbij was, behalve de doodbidders. Daarna ben ik naar mijn broers gegaan om het te vertellen. Die hebben haar familie op de hoogte gebracht. Het is toch wel erg als je sterft en niemand rouwt.'

'Maar...?'

'Ga zitten. Ik zal je alles vertellen. Wordt er erg geroddeld in het dorp, nadat ik er zo onverwacht vandoor ging? Want dat was natuurlijk wat de mensen ervan zeiden.'

'Er werd wel naar gevraagd en we hebben in alle eerlijkheid gezegd dat je vrouw erg ziek was, en ook niet verbloemd dat ze al jaren in het dolhuis zit.'

'Mooi. Dat is goed. Ik word soms doodziek van alle achterklap en alle mensen die het beter weten dan jijzelf.'

'Ik begrijp het.'

Hij zuchtte diep, voor hij aangeslagen begon te vertellen.

'Je weet van de brief. Ik besefte meteen dat het ernstig was en dat ik ernaartoe moest. Ze heeft het immers al zo vaak geprobeerd, dat het eenvoudig wachten was tot de volgende keer. Dat was dus vorige week. Niemand weet nog hoe het haar is gelukt dat mes te pakken te krijgen. Ze heeft er zichzelf in een vlaag van razernij op vele plaatsen mee gestoken, zoiets stond immers ook al in de brief. Ze verloor heel veel bloed en werd naar het ziekenhuis gebracht, want ze was ernstig verzwakt en zelfs bewusteloos geraakt. Toen ik er was, knapte ze net weer een beetje op. Ze werd weer wakker, maar was zo onrustig dat ze haar aan het bed vast moesten binden en dat er een bewaker van het dolhuis in de buurt moest blijven.' Hij zweeg, zuchtte een paar keer. 'Ze was erg verzwakt en ze vocht niet voor haar leven. Ze wilde ook niet meer eten of drinken. Uiteindelijk werd ze rustiger, maar ook steeds zwakker. Dinsdagmorgen vroeg is ze overleden. Ik weet nu nog niet of ik nu opgelucht ben of dat ik me juist schuldig moet voelen. Ik ben zo in de war, Nele.'

Ze legde zonder enige aarzeling haar hand over de zijne. 'Dat is begrijpelijk. Zet haar familie een rouwadvertentie in de krant?'

'Niet dat ik weet. We hebben al jaren geen contact meer. Ik heb in het dolhuis begrepen dat niemand van haar eigen familie haar de laatste tien jaar nog heeft opgezocht. Ik was de enige.'

Hij zweeg en huilde even. 'Ik ben niet verdrietig om haar,' ging hij verder nadat hij een schone zakdoek had gepakt en zijn ogen had gedroogd. 'Ik huil om de triestheid van haar leven. Het was vreselijk om aan te zien voor degenen die dicht bij haar stonden, maar het was vanzelfsprekend het allerergste voor haarzelf.'

'Had ze heldere momenten waarin ze dat besefte?'

'Eerst wel, maar later weet ik het niet. Ik heb die momenten echter al jaren niet meer gezien en misschien was dat toch een vorm van genade, Nele. Wat weten wij mensen eigenlijk van die dingen af?'

'Niet veel,' beaamde ze.

Ze zwegen lange tijd, maar Nele vond het geen onaangename stilte en ze bleef rustig zitten. Uiteindelijk keek Gijsbert haar recht in de ogen.

'Nu ben ik vrij. Nu zijn wij vrij, Nele.'

Ze bloosde en knikte woordeloos.

'Vanzelfsprekend kunnen we er nog lange tijd niets mee doen, er niet mee naar buiten komen. Ik hoef niet de bedroefde weduwnaar uit te hangen, zoals jij wel moest huichelen dat je het erg vond dat je man er niet meer was. Maar als het straks voorjaar is geworden, weer zomer wordt en het vlas weer bloeit, dan kom ik hierop terug en dan zal de vraag komen die ik je tegen die tijd eindelijk stellen mag. Wil je daarop wachten?'

Ze glimlachte. Hun ogen konden elkaar niet meer loslaten en heel langzaam maakte zich in haar binnenste een warme gloed van haar meester.

'Daar zal ik zeker op wachten, Gijsbert. Ik zal de dagen aftellen.'

'Ik ook.'

Hij boog zich voorover. Een lange kus bezegelde die afspraak, en al moest het nog een poosje geheim blijven, ze wist dat ze met Gijsbert verder wilde en dat ze zeer beslist op hem wachtte tot hij de grote vraag zou stellen.